魂の文章術

ナタリー・ゴールドバーグ
Natalie Goldberg
小西啓子◉訳

JN099773

過去、現在、そして未来にわたる、
私の生徒すべてにこの本を捧げます。
天国の喫茶店でいつか再会し、
いつまでも書きつづけることができますように。

まえがき——増補にあたり

いまから一年前、十二月のある夜、私はニューメキシコ州のサンタ・フェで、知り合って間もない若い映画監督の誕生パーティーに出席していた。食べ物の並ぶテーブルのそばに立ち、私は会ったばかりの三十代前半の男性と三十分ほど話した。彼がまじめに詩を書いていることがわかったので、私も処女作を出す前は詩人だったと告げた。私たちは互いに冗談を言い合いながら、大いに楽しんでいた。

とつぜん、彼が戸惑《とまど》った表情で私に聞いた。

「ところで、なにをお書きになったんですか?」

「本を何冊か。いちばん知られているのは『魂の文章術』かしら」と言うと、「嘘でしょう! あの著者はとっくに亡くなっているものと思っていました」と言って彼は大きく目を見開いた。私がまばたきもせず「ちがうのよ。ちゃんと生きてる。まだしぶとくペンを走らせているわよ」と応えたところで、私たちは爆笑した。彼にそれ以上説明することはなかった。彼は私の本を高校で読んでいたけれど、当時読んだ本の著者は、男であれ女であれみな故人だったにちがいない。中学、高校で勉強した本の著者がいま生きているはずがない。

本書が一九八六年に出版された当初、私は講演で「これが五〇年代に出ていたら、まったく売れなかったでしょう」とよく言ったものだった。しかし幸いにもこの本が出たころのアメリカは、自己表現をしたい人たちであふれていた。書くことに関しては人はみな平等だ。地域、階級、性、人種のちがいは問われない。私にファンレターをくれる人もさまざまだ。フロリダの保険会社の副社長、ネブラスカの工場やミズーリの石切場で働く人たち、テキサスの囚人、弁護士、医者、同性愛者の権利を求めている活動家、主婦、司書、教師、僧侶、政治家。この本が出た直後、書くことについての大革命が起こり、本屋には物書きのためのコーナーが続出した。

そのころある生徒が私にこんなことを言った。

「わかりました。書くことって新しい宗教なんですね」

「でも、どうして？　なぜみんなが文章を書きたがっているんでしょう？」

アメリカを代表するような名小説を誰もが書きたがっているとは、私には思えない。でも誰にだって自分の話を聞いてほしい、自分がどう考え、感じ、なにを見てきたかを死ぬ前に表現したいという夢がある。書くことは自分を知り、自分と仲よくなるための道なのだ。

考えてみれば、アリは文章を書かない、木もしかり。純血《サラブレッド》の馬や大鹿、飼い猫、芝生《しばふ》や石も……。書くことは人間固有の行為で、ヒトの遺伝子だけに組み込まれたものなのかもしれない。譲渡不可能な国民の権利として独立宣言に追加すべきではないか。

「生命、自由、幸福の追求――そして書くこと」

書くことにお金はかからない。ペンと紙（機械に強い人はもちろんコンピュータ）、そして頭脳がありさえすればいい。あなたは、自分の知覚のどの未開部分を開拓できるだろう？人生で月を意識しはじめたのはどの秋？　完璧なブルーベリーを採ったのはいつ？　本格的な自転車を手に入れるまでにどれくらいの時間がかかった？　あなたの守護天使は誰？いまなにを考えている？　あるいは考えていない？　いまなにを見ている？　あるいは見ていない？　書くことはあなたに自信を与え、目覚めさせてくれる。

この本は私、ナタリー・ゴールドバーグの独創的アイデアのみならず、人類が二〇〇〇年にわたって行ってきた心の観察から生まれた。私はこの仕事に根をはらせ、強固な土台を与えたかった。この本を書いたとき、私は瞑想《メディテーション》を始めて十年になり、その六年は日本人の禅師についていた。思考はどこからやってくるのか？　記憶、アイデア、〝the〟の由来は？　瞑想と文章修行は両立する。書くための基本的な道具である人の心を深く理解すればするほど、上手に、自信を持って書けるようになるからだ。

　この本が出た当時、私は天才と呼ばれた。その言葉に微笑みながらも、私は自分が天才でないことくらいわかっていた。私の天才的ひらめきは、書くことに禅の教えをもたらしたことくらいだろう。そのころ私は物書きとしての人生を理解したいと心から望んでいた。書きたくて仕方がないのに、その方法がわからなかったし、公立の学校教育はちっとも助けにならなかった。大学に上がるころまでに、私は書くことをあきらめていたと思う。それでも書きたいという一途な思い、意識されない欲望が心の底にあった。

　私は読書と文学が大好きだった。うちの家族、初めてのキス、最近の髪型、台地《メサ》に生《は》えるセージの香り、ネブラスカの平地との仲間意識などについて、私だけが知っている物語があった。私はなにごともあたりまえだとあなどらず、あえてのろまなおばかさんになり、すべての物のつながりや、自分と思考との触れ合いを見つめ感じとり、しっかりと紙に書かずにはいられなかった。

　私はいまもう一度、学校で書かされた「去年の夏にしたこと」という作文を書いてみたい。小学五年生でこの作文を書いたとき私は、おどおどと「面白かったです。よかったです。楽しい夏でした」と書いただけだったが、それでなんとかBをもらうことができた。

それ以来、どうしたらきちんと物が書けるのかが、ずっと気になっていたが、いまではそれがはっきりわかる。真実を伝え、くわしく描写すればいいのだ。

たとえば、「母は髪を赤く染め、足の爪を銀色に塗った。私はパーチージのゲームに夢中で、スプリンクラーの水しぶきの下を走ったり、かぶと虫を採って広口びんに入れ、芝を食べさせたりしていた。父はキッチンのテーブルにすわり、まっすぐ前を見て黙ってバドワイザーのビンを握っていた」。

私には物語をつくるチャンスがいくらでもあった。近所の金髪の男の子に恋したこと、テレビで人種差別についてのニュースを見て混乱し、傷ついたこと、姉のほうが自分より美人なのではないかと恐れたこと、おばあちゃんと一緒にキャベツのサラダを作ったこと……。それなのに私には、どう伝えていいのかがわからなかった。

この本で私は、老いも若きも含めたすべての生徒に物語を伝える方法を伝授したい。そしてこの本が、すべての学校で使われ、それをきっかけに生徒が文章修行の方法を身につけ、自分自身を知り、表現する喜びを覚え、自分の考えに自信を持てるようになることを願っている。そうして自分の心としっかりつながれたときはじめて、誰もが偽りない自分になり、自由を手にすることができる。

かなり昔、私はジャック・ケルアックの書いた散文の基礎を読んだことがある。その中でも特に次の四つの文章が私に前進する勇気を与えてくれた。

損失を永遠に受け入れよ。
あらゆることに対して素直であれ、心を開き、聞き耳をたてよ。
自分の経験、言葉、知識の尊厳を恐れたり恥じたりしてはならない。
生きることに恋せよ。

嘘は言わない。ものを書くという果てしない大地で、あなたにも自分だけの場所が必ず見つかるはずだ。そこでは変わり者だからという理由で取り残される人はいない。
さあ始めよう。一生懸命書くのだ。

魂の文章術 ◉ 目次

※本文中、〔　〕で囲んだ箇所は訳註を示す。

はじめに

学校に通っていたころ、私はずっと〝いい子ブリッ子〟だった。先生に好かれたいと思っていた。コンマやコロン、セミコロンの使い方を覚え、はっきりした文章で作文を綴《つづ》ったが、それは退屈でうんざりするようなものだった。そこには独創的な考えも心の底から湧《わ》いてくる感情もなかった。先生がなにを期待しているかを考え、それを書くのに懸命だった。

大学に入った私は、文学との恋に落ちた。文学にくびったけになってしまったのだ。ジェラルド・マンリー・ホプキンズの詩を何度もタイプで打って、暗記しようとした。ミルトンやシェリー、キーツの詩を声に出して読んでは、寄宿舎のせまいベッドに倒れ込んだ。六〇年代後半の大学時代、私はもっぱら男性作家のものを読んでいた。たいていはイギリスやヨーロッパ出身の、すでにこの世にはいない人たちだった。その作品は私の日常生活とはまるでかけ離れており、もちろん好きではあったが、私自身の体験に照らし合わせられるものはなにもなかった。私はきっと、自分にはとても書けるわけがないと無意識のうちに思っていたのだろう。詩人の妻になりたいとひそかに思っていたけれど、けっして自分で書きはじめることはなかった。

大学卒業後、小説を読んだり詩に夢中になっていては食べていけないと気づいた私は、友達三人とミシガン州アナーバーにあるニューマン・センターの地下に、自然食のランチを出すレストランを開き、コックやウェイトレスとして働いた。それは七〇年代初めのころで、私が初めてアボカドを食べたレストランのできる一年前のことだった。私たちのレストランの名前は〝裸のランチ〟。出典は言うまでもなく、ウィリアム・バロウズの小説（*Naked Lunch*）だ。「凍《い》てついた一瞬、あらゆるフォークの先に刺さったものをみんなが見る」。午前中、私はレーズン・マフィンとブルーベリー・マフィンを焼いた。気の向いたときにはピーナッツバター・マフィンも作った。お客さんに気に入ってもらえるようなマフィンを作ろうと心掛けたのはもちろんだ。そして、ちゃんと気を配って焼くと、たいていよいマフィンができることがわかった。私たちはレストランを作りあげた。もう学校時代のように、試験でよい答案を書けば優がもらえるということはない。ほんとうの答えは自分自身の中に見出すしかないのだ。それは自分の心を信頼することを学ぶようになった第一歩だった。

ある火曜日のこと、私はランチ用のラタトゥイユ〔プロヴァンス風の野菜シチュー〕を作っていた。レストランでは、タマネギやナスを一個ずつ切るなんてことはしない。カウンターの上は、いくつものタマネギ、ナス、ズッキーニ、トマト、ニンニクなどでいっぱいだった。数時間のあいだ、私は野菜をさいの目に切ったり、スライスしたりしていた。その夜、仕事を終えて家に帰る道すがら、ステート通りのセンティコア書店に立ち寄って店内をうろついた。エリカ・ジョングの『果実と野菜』（*Fruits & Vegetables*）というタイトルの薄っぺらい詩集があった（当時、彼女はまだ『飛ぶのが怖い』（*Fear of Flying*）を出しておらず、無名だった）。ページを開いて最初に私の目に飛び込んできたのは、なんとナスの調理法についての詩だった！　私はびっくりした。「そんなことでも詩にしていいわけ？」　そんなありきたりなことでもいいの？　私がいつもやっているようなことでも？　私の脳内のシナプスのひとつが結線した。自分が知っていることを書こう、自分の思考と感情を信頼しよう、自分以外のものに目を向けるのをやめよう――そんな決意を抱いて私は家に向かった。私はもう学校にいるわけじゃない。自分の言いたいことを言ってかまわないんだ。私は自分の家族について書きはじめた。これなら誰も私がまちがっているとは言えないだろう。だって、家族のことなら他の誰よりも私のほうがよく知っているのだから。

以上はすべて十五年前の私に起こったことだ。ある友人にこう言われたことがある。

「愛を信頼しなさい。そうしたら、愛はちゃんとあなたを導いてくれるわよ」。そこに私はこうつけ加えたい。「自分が愛するものを信頼しなさい。そして信頼しつづけること。そうしたら、それはちゃんとあなたを導いてくれる」。それに、安全かどうかということもあまり心配する必要はない。自分がしたいことをやりはじめるなら、やがてはほんとうの安全にたどり着くのだから。実際、たくさんお給料をもらったって、そのうちのどれほどの人が安全だというのだろう？

この十一年ほど、私はさまざまな場所でさまざまな人たちに創作のワークショップを行なってきた。ニューメキシコ大学、ラマ・ファウンデーション、ニューメキシコ州タオスのヒッピーたち、アルバカーキの尼僧たち、ボールダーの非行少年少女たち、ミネソタ大学、ネブラスカ州のノーフォーク工科大学ノースイースト校、ミネソタ詩学校、自宅での日曜創作クラスではゲイの男性のグループ……。私は同じメソッドを何度も繰り返し教える。自分の心を信頼し、自分の体験の中で自信を深めていくことはきわめて基本的なアドバイスなので、それを教えるのに飽きたりすることなんてない。むしろ、教えれば教えるほど、私自身の理解もいっそう深まっていく。

一九七四年に私は坐禅を始めた。七八年から八四年までは、ミネアポリスのミネソタ禅瞑想《メディテーション》センターにおられる片桐大忍《かたぎりだいにん》老師のもとで正式に禅を学んだ。老師に会って仏教についての質問をするのだが、私はいつも、「いいかい、たとえばものを書くとき、あんたはこうするだろう……」と言われて、初めて合点がいくのだった。三年ほど前に老師からこんなことを言われた。「なぜ坐禅をしにくるのかね。書くことを自分の修行にしたらどうなんだい。書くことの中にとっぷり入っていったら、それはあんたをあらゆる場所に連れていってくれるよ」。

これは書くことについての本だ。それと同時に、生きる修行としての書くこと、つまり、自分の人生の深奥まで探り、真正な人間になるための手段としての書くことについての本でもある。書くことについてここで言われている内容は、ランニングや絵画などなんであれ、あなたが本心から好きで、これまでの人生の中で取り組んできたことすべてについてもあてはまる。私の友人で、クレイ・リサーチ社の社長であるジョン・ロールウェイゲンに本書の何章かを読んで聞かせたら、彼はこう言ったものだ。「おっと、それはビジネスのことを言っているね。ビジネスでもそのとおり。まったく同じだよ」。

書くことを学ぶのは直線的なプロセスではない。よい書き手になるのに、AからBへ、BからCへ、といった論理的な方法はない。書くことのすべてについてあてはまるすっきりした真理なんて存在しないのだ。真理はたくさんある。書く修行をするとは、結局、自分の生のすべてと取り組むことだ。くるぶしの骨折を治す方法を教わったからといって、その治療法を虫歯に応用することはできない。本書の中のある章には、できるだけ具体的に正確に書きなさいとある。そのアドバイスは、抽象的で一般論みたいなことしか書けないと悩んでいる場合のためのものだ。別の章には、コントロールをゆるめ、感情に乗って書きなさいとある。それは、言うべきことを心底から言うよう励ましているのだ。また別の章には、書斎を設けて書くためのプライベートな空間を作りなさいとあり、その次の章では、「汚れたお皿なんかほっといて、家を出よう。喫茶店で書いてみたら」とある。各テクニックには、それぞれそれに向いた時節がある。同じ瞬間は二度とない。いろいろなことが役に立つ。どれかがまちがっていて、どれかが正しいということじゃない。

クラスで教えるとき、私は生徒たちに心の真実を書いてほしいと思う。自分の心についてハッと気づいた、かけがえのない言葉を書いてほしい。けれども、「さあ、誠意を尽くして、はっきりと書きなさい」と言えばすむほど単純なものじゃないこともわかっている。クラスで私は、さまざまなテクニックやメソッドを試してみることにしている。そのうち生徒たちも要点をつかみ、自分がなにをどのように言うべきか、はっきり理解するようになる。だがそれでも、「これとこれを終えて第三段階まできたら、うまく書けるようになるわよ」などとは言えるものじゃない。

この本を読む場合も同じだ。最初から最後まで通して読んでもいい（最初はそうしたほうがいいかもしれない）。好きな章を開いて読んだってかまわない。各章はそれ自体で完結するように書いたつもりだ。リラックスして、全身全霊に内容を沁《し》みこませるような感じで読んでほしい。そして、ただ読むだけではなく、実際に書くこと。自分を信頼しなさい。自分のほんとうの欲求に気づきなさい。この本はそのためにある。

初心、ペンと紙

初心者のクラスを教えるのはいいものだ。なぜなら、教えるほうも初心——初めてものを書くときの考え方や感じ方——に戻らなくてはならないから。ほんとうは、腰をおろして書きはじめるたびに初心に戻るべきなのだ。二カ月前によく書けたからといって、またそうできる保証などどこにもない。実際、書きはじめはいつも、この前はいったいどうやったのだろうと考えてしまう。毎回毎回、地図も持たずに知らない土地を旅しているようなものだ。

だから、創作のクラスで教えはじめるとき、私はいつも同じ話をする。それは生徒にとっては初めて聞く話なのだ。はじめのはじめから始めなければならない。

まずは筆記用具からいこう。スラスラ書けるペンがいい。思考の速度はペンを動かす手の速度よりずっとはやい。書きにくいペンでスピードを落としたくはない。ボールペン、鉛筆、サインペンなどでは、書くスピードが鈍ってしまう。文房具店に行って自分に合ったものを探そう。いろんな種類を試してみるといい。あまりオシャレなものや高価なものはやめよう。私がふだん使っているのは、一ドル九十五セントのシェーファーの安物の万年筆、カートリッジ式のやつだ。もう何百本カートリッジを入れ替えたかわからない。そろっている色はみんな買った。よくインク漏れするけど、はやく書ける。最近出まわっている水性ボールペンもスラスラ書けるが、ちょっとすべりすぎるようだ。紙の上を走るペンの質感、それに自分とペンとのつながりを感じられるようなものがいい。

ノートのことも考えよう。これもたいせつな要素だ。大工さんにとっての金槌《かなづち》や釘のように、ノートはあなたの道具なのだ（わずかのお金で買えるのだから感謝しなくちゃ）。ハードカバーの高価な日記帳を買う人がよくいるけど、あんなものはかさばって重いし、おまけに、きれいに装丁されているものだから、なにか立派なことを書かなきゃいけないような気になってしまう。世界中でいちばんくだらないことを書いてもいいんだ、という気分になれるようなものがいい。実際、くだらないことを書いたってぜんぜんかまわない。言葉の中を探検していけるよう、気持ちにじゅうぶんな余裕を持たせよう。らせん綴《と》じの安物のノートなら、すぐに書き終えそうな気にさせてくれるし、次のノートも気楽に買える。それに、持ち運びも楽だ。

私が使っているのは、ガーフィールドやマペット、ミッキーマウス、スター・ウォーズ……といったマンガ入りのノートだ。新学期になると新しい製品がお店に並ぶ。ふつうのらせん綴じノートより二十五セント高いけれど、私は気に入っている。チャーリー・ブラウンの絵の入ったノートを開いたら、あまり深刻になることはできないだろう。それに、書いていた場面を思い出すのにも好都合だ。「ああ、そうそう。あの夏はロデオ・シリーズのノートを使っていたんだっけ」というふうに。無地、罫線《けいせん》入り、グラフ用、ハードカバー、ソフトカバーなど、いろんな種類のノートを試してみよう。結局、それがいちばん自分のためになる。

ノートのサイズもまた重要だ。小さなのはポケットにしまえていいけれど、あなたの考えも小さなものになってしまう。まあ、ときにはそれもいいかもしれない。小児科の医者でもあった有名な詩人のウィリアム・カルロス・ウィリアムズは、その詩の多くを、診察のあいまをみて処方箋《しょほうせん》用紙に書いていたのだから。

どうでもいいこと

先生、ずっと探してたんですよ。
二ドル借りがあるんです。

最近、どうですか？
私のほうはおかげさまで。お金が手に入ったら、
先生のところへお持ちします[1]。

彼の作品集を開くと、処方箋サイズの詩がたくさん見つかるだろう。

ときにはノートに書くのではなく、思ったことを直接タイプで打ちたいと思うこともあるだろう。ものを書くのは肉体的な作業なので、使う道具によって影響を受ける。タイプでは、指がキーを叩くと、黒い活字が打ち出される。自分のちがった面が出てくるかもしれない。私自身は、感情にまつわることを書く場合、最初は紙にペンで直接書かなければだめだとわかった。手書きは感情《ハート》の動きとより密接に結びついている。でも、物語をつくる場合は、まっすぐタイプライターに向かう。

テープレコーダーに吹き込むという手もある。思ったことを声に出し、それをそのまま録音するのがどんな感じなのか試してみるのもいい。この手段は、なにか他のことをしているときに便利だ。たとえば、ドレスの縁縫《ふちぬ》いをしている最中に別れた夫のことを考えはじめ、それを書きたくなった場合。そんなとき、両手がふさがっていても、レコーダーに向かってしゃべることができる。

　コンピュータの経験はまだそれほどないが、マッキントッシュを使っているところは想像できる。キーボードを膝《ひざ》の上にのせて、目を閉じ、ひたすらタイプするのだ。自動的に改行してくれるので、手をとめることなく打ちつづけることができる。タイプライターは行の終わりにくるとチンとベルがなるが、コンピュータの場合、そんなことはもう気にしなくてすむ。

　とにかく実験だ。大きな画用紙にも挑戦してみよう。たしかに心は環境を創造するが、環境や道具もまた思考の形成に影響を与える。大空にも文字を書いてみよう。

　道具は慎重に選んでほしいけれど、あまり慎重になりすぎて、緊張してしまったり、机に向かうよりも文房具店で過ごす時間のほうが長くなったりしないように。

第一の思考

文章修行の基本は、制限時間を決めて行なう練習だ。十分でも二十分でも一時間でもいい。それはあなた次第。最初は短い時間から始めて、一週間したら時間を延ばそうという人もいるだろうし、最初から思い切って一時間とる人もいるだろう。時間の長さはたいして問題じゃない。たいせつなのは、何分、何時間であれ、自分が決めた練習時間のあいだは完全に没頭することだ。

次に、書く際のルールを挙げよう。

1. 手を動かしつづける（手をとめて書いた文章を読み返さないこと。時間の無駄だし、なによりもそれは書く行為をコントロールすることになるからだ）。

2. 書いたものを消さない（それでは書きながら編集していることになる。たとえ自分の文章が不本意なものでも、そのままにしておく）。

3. 綴りや、句読点、文法などを気にしない（文章のレイアウトも気にする必要はない）。
4. コントロールをゆるめる。
5. 考えない。論理的にならない。
6. 急所を攻める（書いている最中に、むき出しのなにかこわいものが心に浮かんできたら、まっすぐそれに飛びつくこと。そこにはきっとエネルギーがたくさん潜んでいる）。

以上のことはぜったい守ってほしい。というのも、この練習の目的は、じゃまなものを焼き払って〝第一の思考〟——エネルギーがまだ世間的な礼儀や内なる検閲官によってじゃまされていない場所——にたどり着くこと、言いかえれば、こう見るべきだ、感じるべきだと考えていることではなく、実際に自分の心が見て感じることを書くことにあるからだ。ものを書くことは、自分の心の奇妙な癖をとらえるまたとないチャンスだ。むき出しの思考のぎざぎざした縁《ふち》を探索しよう。ニンジンをおろすように、紙の上にあなたの意識という色とりどりのコールスロー〔キャベツの千切りサラダ〕をぶちまけよう。

第一の思考には途方もないエネルギーがある。第一の思考は、心がなにかに接してパッとひらめくときに現れるものだ。しかし、たいてい内なる検閲官がそれを押しつぶしてしまい、私たちは第二、第三の思考の領域、思考についての思考の領域で生きている。最初の新鮮なひらめきからは二倍も三倍も遠ざかったところで生きているのだ。たとえば、「私は喉からヒナギクを切り取った」という文句がとつぜん心に浮かんできたとしよう。すると、1＋1＝2の論理や、礼儀正しさ、恐れ、粗野《そや》なものに対する当惑などを仕込まれた私の第二の思考はこう言う。「ばかばかしい。自殺してるみたいじゃない。喉をかき切るところなんか人に見せちゃいけない。どうかしたんじゃないかと人に思われるわ」。こうして検閲官の手に思考を委《ゆだ》ねてしまうと、こんどはこんなふうに書くことになるだろう。「喉が少し痛んだので、私はなにも言わなかった」。正確、そして退屈だ。

第一の思考はエゴにじゃまされることもない。エゴとは、統制のとれた状態に自分を置こうとする働き、世界は堅固で永続的で論理的であることを証明しようとする働きだ。世界は永続的ではなく、たえず変化しており、人々の苦しみに満ちている。だから、もしエゴに支配されていないものを表現すれば、それもまたエネルギーに満ちあふれている。なぜなら、それはものごとのありのままの姿を表現しているからだ。そのとき、あなたは表現の中にエゴという重荷を持ち込んでいるのではなく、しばらくのあいだ意識という波に乗っているのであり、自分独自のディテールを使ってその波乗りを表現しているのだ。

坐禅をするときは、坐蒲《ざふ》の上に坐《すわ》って足を組み、背筋をまっすぐ伸ばし、手は膝の上に置くか、体の正面で印《いん》を組む。白壁に向かい、自分の息を見守る。怒りや抵抗の大嵐が吹き荒れようと、喜びや悲しみの雷雨がやってこようと、どのような感情にもとらわれず、背筋をしゃんとして足を組んだまま、壁に向かって坐りつづける。やがて、どんなに大きな思考や感情が湧いてこようと、振りまわされないようになる。それが修行だ。つまり、坐りつづけるということ。

ものを書く場合にも同じことが言える。第一の思考に触れて、そこからものを書くとき、あなたは偉大な戦士でなければならない。とりわけ最初のうちは、すごい感情とエネルギーを感じて、それに吹き飛ばされてしまうかもしれないが、書くのをやめてはいけない。ペンを動かしつづけて人生のディテールを書きとめ、その核心にあるものをつかみなさい。初心者のクラスではよく、自分の書いたものを読みながら泣き崩れてしまう人がいる。それは悪いことじゃない。書きながら泣く人だっているのだから。けれども私はみんなに、涙の真っただ中を書きつづけ、あるいは読みつづけて、感情に振りまわされない地点にたどり着きなさいと言っている。涙の地点で立ちどまってはだめだ。それを通り抜けて真実をつかもう。修行とはそういうものだ。

第一の思考がそれほど力強いことの理由としては、それが新鮮さとインスピレーションに関係しているということもある。インスピレーションとは「息を吸い込むこと」を意味している。神を吸い込むこと。それによってあなたは実際自分自身よりも大きな存在となり、そのとき第一の思考が現れてくる。第一の思考とは、現に起こっていることや感じられることを覆《おお》い隠すものではない。それは現在の瞬間に途方もないエネルギーを吹き込むものであり、あるがままのものなのだ。

瞑想の合宿《リトリート》から戻ってきた仏教徒の友人は、こんな話をしてくれた。「瞑想のあと、前よりずっと色が生きいきと見えてきました」と彼女が言うと、師はこう答えたという。「あなたが現在にいるとき、世界は真に生きいきとするのです」。

文章修行

　ここは文章修行の学校。ランニングと同様、やればやるほど体得できる。ときには走る気が起こらず、三マイル走るのにも足がぜんぜん進まない場合だってあるだろう。でも、とにかく練習を続けること。その気になってもならなくても練習する。とつぜんやる気が出てきて心の底から走りたくなるまで待ったりはしない。そんなことはぜったい起こらないからだ。不調で、練習なんてしたくないと思っているようなときには、とりわけそうだ。でも、規則正しく走りつづけていれば、心は鍛えられ、走ることに対する抵抗を断ち切ったり、無視できるようになる。ただ実践あるのみ。そうすれば、走っているそのさなかに、走ることが好きになってくる。ゴールにたどり着いても、もっともっと走っていたいと思うようになる。そして、次回のランニングを待ちこがれながら、足をとめることだろう。

　書くことも同じだ。いったん深く入り込むと、どうして自分はこんなに机にかじりつくようになってしまったのだろうと不思議に思う。練習によって、実際みるみる腕が上がっていく。内なる自己をもっと信頼し、書くことを避けたがっている心のささやきに負けないようにしよう。おかしなもので、フットボールのチームが長時間練習しても、「そんなことしたって無駄だよ」とはけっして誰も言わない。なのに、それが書くこととなると、私たちはめったに練習時間をとろうとしないのだ。

書くときは、たとえば「さあ、これから詩を書くぞ」などと考えないことだ。そうした姿勢はたちまちあなたの心をコチコチにしてしまうだろう。なんの期待も抱かず腰をおろし、自分にこう言ってやろう。「世界最悪のどうしようもないものを書いたってかまわないんだよ」。目的など考えずにひたすら書けるよう、自分に余裕を与えることが必要だ。傑作を書いてやるぞと宣言したものの、それから一行も書かなかった生徒を私は何人も知っている。机に向かうたびになにかすごいことを期待しているのなら、書くことはつねにひどい落胆をもたらすだろう。それにまた、期待があると、いつまでたっても書く行為の中に入っていけないだろう。

私は一冊のノートをひと月で書き終えることをルールにしている（私はいつも書くためのガイドラインを作っては自分に課している）。ひたすらノートを書き埋めていくこと。それが修行だ。私の理想は、毎日書くこと。しかし、それはあくまでも理想だ。書かない日があっても、それについてあれこれ考えたり心配したりしないようにしている。理想どおりに生きられる人なんてどこにもいないのだから。

ノートに書くとき、私は上下左右の余白など気にしない。ページ全体にくまなく書く。私はもう先生に見せたり、学校に提出するために書いているわけじゃない。なによりも自分のために書いているのだから、自分で限界を設ける必要なんてない――たとえそれがどのくらい余白をとるかということであっても。この姿勢は私に心理的な自由と許しを与えてくれる。調子が出てきて夢中で書いていると、句読点や綴りなど忘れてしまうことが多い。そんなときは筆跡も変化していることに気づく。大きくてのびやかな字になっているのだ。

私は教室で書いている生徒たちを見まわして、誰が波に乗っているか、現在にしっかり根づいて書いているかを言い当てることができる。そういう生徒は書くことに真剣に関わっていながら、体はリラックスしている。これもまた、ランニングと同様だ。調子よく走っているとき、抵抗はほとんどない。あなたのすべては動いている。そこには走り手と分離したあなたなど存在しない。ものを書く場合も、ほんとうに調子に乗っているときは、書き手も紙もペンも思考も存在しなくなる。ただ、書くことが書くことを行なっているだけ――それ以外のものはすべて消えてしまっている。

文章修行の大きな目標のひとつは、自分の心と身体に対する信頼を培《つちか》うこと、つまりは、忍耐と非攻撃的な心を育てることだ。芸術もまた広大な現実世界の中に存在するものだ。一篇の詩や小説など、いずれにしても重要なものではない。重要なのは、書くというプロセス、そして生きることだ。素晴らしい本を書いたにもかかわらず、精神を病んだり、アルコール依存症になったり、自殺したりした作家はあまりにも多い。私の言うプロセスとは、正気について教えてくれるものである。詩や小説を書きながら正気になろうというのが、私たちのめざしていることなのだ。

チベット仏教の師であるチョギャム・トゥルンパ・リンポチェ（一九三九〜八七）はかつてこう言った。「圧倒されんばかりの抵抗に直面しても、われわれは自分を開きつづけていかなければならない。自分を開けと人から励まされなくても、われわれは心を覆っている層を剝《は》いでいかなければならないのだ」。文章修行についても同じことが言える。私たちは自分を開き、自分自身の声とプロセスを信頼しつづけていかなければならない。結局、そのプロセスがよいものであれば、結果もよいものになる。すなわち、いい文章が書けるようになる。

絵を描いている友人がこんなことを言っていた。「よい下書きができてそれに色をつけようとするとき、最初はウォームアップとして、どうなってもいい別の下書きで練習してみるのよ」。この練習もそれと同じようなウォームアップだ。書くことの基本であり、最も原始的で欠くことのできない出発点だ。それを原点にして培った自分自身の声に対する信頼を、ビジネスレターへ、小説へ、学位論文へ、戯曲へ、回想記へと向けていくことができる。けれども、あなたは繰り返し原点に戻ってこなければならない。「よし！　書き方はわかったし、自分の声も信頼している。さっそく傑作を書いてやろう」なんて考えないこと。さっそく小説に取りかかってもいいけど、練習をやめてはいけない。それは、踊る前にダンサーがウォームアップをしたり、走る前にランナーが屈伸運動をするのと同じように、調子を保つために必要なのだ。ランナーは、「きのう走ったからいいさ。もう身体は柔らかくなってるよ」なんて言ったりはしない。ウォームアップと屈伸運動は、毎日行なうべきものだ。

文章修行はあなたの人生をまるごと受け入れてくれる。そこでは論理的な形式はなにひとつ要求されない。第十八章をこなしてから第十九章へ、というものではない。そこでは野性的に、奔放《ほんぽう》になってかまわない。おばあちゃんの作ったスープの夢と、窓の外のうっとりするような雲とを混ぜ合わせて書いたっていい。文章修行には決まった道はなく、この瞬間に存在しているあなたのすべてと関わっている。それは、非論理的な文章でも支離滅裂な文章でもなんでも受け入れてくれる愛情あふれる腕だ。それは、自然のままの森——刈り込んできれいな庭園にする前に、すなわち素晴らしい作品を書く前に、エネルギーを蓄《たくわ》えておくための森だ。だから、この修行には終わりはない。

いますぐ机に向かうこと。現在の瞬間に心をあずけ、そして、心に浮かんでくるものをなんでもいいから書いていこう。それは「現在の瞬間」という言葉から始まるかもしれないし、七年前の結婚式のとき身に飾ったクチナシの花についての文章で終わるかもしれない。それでもけっこう。文章をコントロールしようとしてはいけない。なにが浮かんでこようと現在にとどまり、手を動かしつづけよう。

こやしづくり

体験が意識のふるいにかけられるのには、しばらく時間がかかる。たとえば、情熱的な恋愛のまっただなかにいるとき、恋愛についてはなかなか書けるものじゃない。全体を見渡すことができないからだ。「気が狂いそうなぐらい恋している」と繰り返し書くのが関の山だろう。また、引っ越してきたばかりの街について書くのもむずかしい。街がまだ自分の一部になっていないからだ。道に迷わずドラッグストアに行けたとしても、新しい街について知っていることにはならない。冬を三回越したわけでもなく、秋に飛び去った鴨《かも》が、春になって湖に戻ってくるのも見ていない。ヘミングウェイはパリのカフェに腰をおろしながら、ミシガンのことを書いた。「たぶん、パリを離れたなら、パリについて書けただろう。ちょうど、パリにいてミシガンのことが書けたのと同じように。パリを発《た》つにはまだ早すぎるのかどうか、私にはわからなかった。なぜなら、その街のことをじゅうぶんに知らなかったからだ[2]」。

私たちの感覚は、それだけではなにも語ってくれない。五感によって受けとめられた体験は、そのあと時間をかけて意識のふるいにかけられ、全身に浸透し、豊かなものとならなければならない。私はそれを「こやしづくり」と呼んでいる。私たちの身体は生ゴミの山だ。捨てられた卵の殻《から》やホウレンソウの切れ端、コーヒーの挽《ひ》きかす、ステーキの余りの骨などが分解し、窒素《ちっそ》と熱が生じて、きわめて肥沃《ひよく》な土壌になるように、集められた体験は私たちの中で肥沃なものとなる。この肥沃な土から詩や物語が花開くのだ。しかし、たちまちそうなるというわけではない。それには時間が必要だ。自分の生活の中のこやしになりそうなディテールを幾度もかきまわしつづけること。そうすると、やがてその中の何割かは、とりとめのない思考というゴミを通り抜けて、しっかりした黒い土の上に落ちていく。

文章を何ページも書いてきた生徒がクラスでそれを読みあげるとき、たとえそれが必ずしもよい出来ではなくても、手ごたえのあるものを求めて自分の心を探究しているのがわかると、私はうれしくなる。そうした生徒たちは今後も書きつづけるだろうし、ただ「かっこいい」文章を書こうとしているのではなく、修行のプロセスの中にいることがわかるからだ。彼らは自分の心を熊手でかきならし、上っ面の思考を引っかけて、それをかきまわしているのだ。この生《なま》の素材に取り組みつづけるなら、私たちは自分自身の中にどんどん深く引きずり込まれていく。でも、それは神経症的な意味においてではない。自分の内側にある豊かな庭に気づき、それを書くことに活用しはじめるようになるのだ。

　私はよく、自分が言いたいと思っていることを何度も突つき返してみる。たとえば、一九八三年八月から十二月までの私のノートを覗くと、一カ月に数回は父の死について書こうとしている。私はその素材を探究し、こやしを作っていたのだ。そうしているうちに自分でもよくわからないが、ミネアポリスの〝クロワッサン・エキスプレス〟という店で、不意に椅子に釘づけになり、このテーマについての長い詩が私の中からあふれ出てきた。言わなければならないと思って必死になっていたことのすべてに、とつぜん、エネルギーと統一感が融合したのだ。堆肥《こやし》の中から突如、真っ赤なチューリップが咲きでてくるように。片桐老師は言った。「人間のちっぽけな意志などにはなにもできんよ。必要なのは〝大決心〟だ。大決心といっても、あんたが努力するということじゃない。それは、鳥、木、空、月、十方《じっぽう》のすべて、つまり、全宇宙が自分を支え、自分とともにいるということだ」。さんざんこやしづくりをしていると、不意に、星々とも、いまのこの瞬間とも、天井のシャンデリアとも一体となり、身体が開き、言葉が生まれてくる。

　このプロセスを理解すると、忍耐が培われ、あまり不安も生じなくなる。私たちはすべてをコントロールしているわけではない。ものを書くことについてさえそうだ。しかし、だからといって、ソファにすわってお菓子を食べながら、なにも書かずにいていいわけではない。修行は続けなければならない。堆肥の山に取り組みつづけ、それを肥沃なものにしていくこと。そうしてこそ、なにか美しいものが花開くのだし、また、宇宙が私たちの中を貫くとき、それにうまく乗れるよう、書くための筋肉も培われるのだから。

書くプロセスを理解すると、貪欲さが減って、他人の成功が認められるようになる。人が成功するのは、たんにその人の時節が到来したというだけのこと。自分の時節もやがてやってくるだろう……今生《こんじょう》のうちか、あるいは来世には。どうってことはない。ひたすら書きつづけよう。

芸術的安定感

私のところには、らせん綴じのノートが身の丈ほどに山積みされている。一九七七年ごろ、ニューメキシコ州のタオスで文章を書くようになって以来のものだ。ほんとうのところ、みんな捨ててしまいたいと思っている。だいたい、文章修行の途中に出てきた自分の心のガラクタを見なおすなんて耐えられない。ニューメキシコの友達は、ビールの空缶や古タイヤでソーラーハウスを作っていたっけ。いらなくなったノートで私もひとつ作ってやろうかとも思った。でも二階に住む友達が、「捨てちゃだめ」と言うので、欲しかったらどうぞと言っておいた。

私はノートの山を彼女のアパートの階段に置き、ネブラスカ州のノーフォークに出かけた。四日間の創作ワークショップを開くことになっていたのだ。私が戻ると彼女は変な顔をして私を見つめ、寝室にあったピンクの古い椅子にどかっと腰をおろした。「週末はずっとあのノートを読んでたの。ずいぶんプライベートな内容ね。恐怖や不安感が何ページも続いたと思ったら、いつものあなたはとつぜん消えて、むき出しのエネルギーと奔放な心だけになっちゃう。でも生身のあなた、ナタリーはただの人で、いまここにいる。ずいぶん妙な感じがするわ」。自分の正体を彼女に知られてもかまわなかったので、私はいい気分になった。うれしかった。誰かにほんとうの自分を知ってほしいと思っていたからだ。人について、自分について、私たちは勝手な思い込みを続けている。それだけに、誰かがありのままの自分を見て、そっくりそのまま受け入れてくれると、とてもありがたく思えるものだ。

ノートを読んで元気が出たと彼女は言った。私が「クソ！」なんていう言葉を実際に書き、ときにはそれでノートを埋めつくしてしまうことがあるのを知ったからだそうだ。私は生徒によくこう言う。「いまでも自己憐憫《れんびん》めいたものを綿々と書くことだってあるのよ」。みんな信じてくれないが、私のノートを読めば、生なましい証拠がそこにある。例の二階の友人はこう言った。「昔あんなガラクタを書いていたあなたが、いま、こんなに上手になっているんですもの。私にも必ずなにかできると気づいたの。心には力がみなぎっている。いまに見ていろという気持ちよ！」　彼女が私のノート――グチや、退屈な説明や、どうしようもない怒りで埋めつくされたノート――から学んだ重要なことは、文章修行のプロセスに絶対的な信頼を置くことだった。「『こんなことを書いているなんて頭がどうかしてる』なんて書きながらも、あなたは書くのをやめなかったわね」と彼女は言った。

たしかに私はこのプロセスを信頼している。あのころの私は、ニューメキシコの丘陵地帯の長く乾いた日々に飽き飽きしていた。たとえば、タオスに一軒しかない映画館では『ジョーズ』が半年間もかかりっぱなしというありさまだ。私は人生の水面下、あるいは核心に、なにかリアルなものがあるはずだと信じていたが、自分の心に居眠りさせられたり、気を散らされたりばかりしていた。でも、そんな心や人生こそが、その当時の私のすべてだった。そこで私はそれらを出発点に書きはじめることにした。例の友人は言った。「ノートを読み進んでいくうちに、こんなふうに書くことで、ほんとうのあなたらしさが出てくるのがわかったの。人間ってそういうものよね」。

こんなふうに――心のままに――書きはじめるなら、最低五年間はガラクタを書く覚悟をしなければならないだろう。なぜなら、誰でもそれ以上の年月のあいだ、心にガラクタをため込んできているし、それに目を向けようともしてこなかったからだ。自分自身の怠《なま》け癖、自信のなさ、自己嫌悪、語るべきことなどほんとうはなにもないのではという恐れ、などを私たちは直視する必要がある。なにか新しいことを始めれば、必ず抵抗にぶちあたる。そのときこそが、逃げ出したり、はじき飛ばされたりするかわりに、紙にくっきり書かれた「抵抗」を見据え、それが繰り出すたわごとを調べてみるチャンスだ。あなたの書いたものが、生ゴミやこやしの中から育って花開いたものなら、それはとてもしっかりしたものだ。何者からも逃げないでいるなら、芸術的安定感を手にすることができる。自分の内なる声を恐れなくなれば、外の批評家を恐れる必要もなくなるだろう。さらに言うなら、内部のそうした声は、真の宝――心から湧き出る〝第一の思考〟――を守っている守護霊にすぎないのだ。

いま古いノートを読み返してみると、私は自分に甘すぎて、とりとめのない考えにだらだら時間をかけすぎていたと思う。もっと早く切り抜けることもできただろう。とはいえ、情けない自分を知る――ほめたり批判したりするのでなく、そういう自分を率直に認める――のは悪いことじゃない。そうした認識によって、私たちは美や慈悲や、たしかな真実を上手に選べるようになるからだ。この選択を行なうとき、私たちの足は大地にしっかり着いていなければならない。恐怖に追い立てられて、やみくもに美を追いかけるのではだめなのだ。

題材リストを作る

机に向かってもなにも書くことが思いつかない、という日もあるものだ。真っ白なページが脅迫しているかのように思えてくる。かといって、十分間の練習のあいだ、「書くことが思いつかない。書くことが思いつかない」と繰り返すのは退屈すぎる。そういうときのために、ノートに一ページ余白をとっておき、書く題材を思いついたら、すぐ書きとめられるようにしておくといい。どこかで耳にした言葉でもいい。たとえば、あるレストランで、私はひとりのウェイターに、別のウェイターについて文句を言ったことがある。彼の返事はこうだ。「あいつが変わっているのはわかってますよ。でも、人が別の調子で踊っているなら、ほうっておきましょうよ」。とつぜんよみがえってきた記憶でもいい。たとえば、おじいさんの入れ歯、去年留守にしていて嗅《か》ぎそこねた六月のライラックの香り、サドルシューズをはいていた八歳のころの自分……。なんでもかまわない。なにか思い浮かんだら、いつでもリストに書いておこう。そうしておけば、机に向かったとき、リストから話題を選んで書きはじめることができる。

リストを作るのはいいことだ。日常生活の中の題材に視線が向かいはじめ、それによって、自分の生活やその細部との関わりから文章が生まれてくるようになるからだ。こうして〝こやしづくり〟のプロセスが始まっていく。身体が材料を消化し、かきまぜはじめている。机に向かっていないときでも、文章修行という種を濃い緑に育てる準備——土壌を整え、肥料をやり、日にあてる——が、身体のどこかで行なわれているのだ。

いざ机に向かったとき、なにを書こうかとあまり時間をかけて考えてはいけない。せわしない心《モンキーマインド》であれこれ迷っていると、いつまでたっても一語も書けないということにもなりかねない。そんなときリストがあれば、迷いを断ち切って、すぐに書きはじめることができるだろう。いったん書きはじめると、心がその題材を展開していくさまに驚く場合がよくある。それはいいことだ。そんなとき、あなた自身は文章をコントロールしようとはしていない。じゃまにならないように一歩退《ひ》いている。そのまま手を動かしつづけよう。

自分のリストができあがるまでの参考に、文章のアイデアをいくつか挙げておこう。

1. 窓から差し込む光についてなにか書こう。すぐ机に向かって書きはじめること。いまは夜でカーテンが閉まっているとか、自分は北極のオーロラについて書きたいなどと文句を言わず、とにかく書く。十分、十五分、三十分と書きつづけよう。

2.「こんなことを覚えている」という書き出しで書いてみよう。たくさんのたわいない思い出を綴ろう。たいせつな思い出に行きあたったら、それについて書くのもいい。どんどん書きつづけること。五秒前のことでも、五年前の出来事でもかまわない。いま起こっていないことはすべて過去の記憶であり、それらは書くことでよみがえってくるからだ。手がとまってしまったら、なにか思いつくまで「こんなことを覚えている」と繰り返し書こう。

3.否定的であれ肯定的であれ、感情を強く動かされることがあったら、それが好きだという前提で書いてみよう。好きだという立場で、書けるだけ書こう。次に紙を裏返しにして、嫌いという立場から書いてみよう。それもすんだら、同じことについて完全に中立な立場で書いてみよう。

4.テーマ・カラーを選んで——たとえばピンク——十五分間散歩しよう。ピンク色のものに注意しながら歩くこと。家に戻ったら、自分の見たものについて十五分間書こう。

5.書く場所を変えてみよう。たとえばコインランドリーで洗濯機のリズムに合わせて書いてみる。バス停や喫茶店でもいい。そのとき自分のまわりで起こっていることを書き表そう。

6. 自分がどんな朝を過ごすかを読み手に教えるのはどうだろう。目覚めから、朝食、通勤……。できるだけ具体的に書くこと。ゆっくり時間をとって、朝の出来事の細部を見なおしてみよう。

7. 自分の大好きな場所を思い浮かべ、そこに行ったつもりになって、そこで目に映るものをくわしく観察しよう。次は、それを文章にまとめる番だ。寝室の片すみのこと、夏のあいだその下ですわって過ごした古い木のこと、近所のマクドナルドのテーブル、川のほとり……。どんな色が目に入っただろう？ 音や香りは？ 誰が読んでもその場所のようすが手に取るようにわかるように書くこと。この場所が大好き、と直接言わなくても、細部の描写を通じてそのことが読み手に伝わるようにしよう。

8. 「去ること」をテーマに書いてみよう。どんな切り口でもいい。離婚のこと、今朝、家を出たときのこと、友人の死など……。

9. あなたのいちばん最初の思い出は？

10. あなたが愛した人たちは？

11. あなたの町の通りについて書いてみよう。

12. おじいさん、またはおばあさんを描写しよう。

13．以下の題材について書いてみよう。

＊水泳　＊星　＊いちばん恐かったこと　＊緑豊かな場所　＊どうやってセックスについて知ったか　＊初体験　＊神や自然を最も身近に感じたときのこと　＊読書、自分の人生を変えた本　＊肉体的苦痛に耐えた経験　＊あなたの先生

あまり抽象的にならないように。ほんとうのことを正直にくわしく書くこと。

14．詩の本を一冊選び、適当なページを開いて一行書き写し、そのあとを自分の文章で続けてみよう。私の友人はこれを「ページの外で書く」と呼んでいる。素晴らしい一行から書きはじめるのは役に立つ。なぜなら高尚な地点から出発できるからだ。「私はパリで死ぬ、雨の降る日……たぶん木曜日だろう(3)」と詩人のセザール・バリェホは書いた。これに続けて、「私は月曜日の十一時に死ぬだろう……。金曜日の三時、サウス・ダコタでトラクターを運転しているときに死ぬだろう……。ブルックリンのデリカテッセンで死ぬだろう……」などと書いていくのだ。行き詰まったときは、自分の書いた最初の一行を変えて、また書きつづけよう。書き出しを変えると、新しいスタートが切れるばかりでなく、別の方向に向かうチャンスも得られる。たとえばこんなふうに――「私は死にたくない。パリであろうとモスクワであろうと、オハイオ州ヤングスタウンであろうと、そんなことは関係ない……」。

15．あなたはどんな動物だろう？　自分の本性は牛だと思う？　リス、キツネ、それとも馬？

自分独自の材料や話題を作り出していこう。これもよい修行だ。

豆腐と闘う

〝規律〟という言葉にはいつも冷酷な感じがつきまとう。私はこの言葉から、自分のものぐさな部分に鞭打《むち》って降伏させるという印象を受け、そんなことではけっしてうまくいくはずがないと思う。私の中の独裁者と反逆者はいまも言い争いつづけている。

「書きたくないなあ」

「書きなさい」

「あとにするわ。いま疲れているの」

「いますぐ、書きなさい」

この争いのあいだ、私のノートはずっと白紙のまま。これもエゴのあがきのひとつだ。片桐老師にこんな素晴らしい表現がある。「豆腐との格闘」。豆腐相手に格闘してもむなしいし、得るものもない。

あなたの中の独裁者と反逆者が闘いたがるなら、勝手にそうさせておこう。ただしそのあいだにも、あなたの正気の部分は静かに起きあがってノートに手を伸ばし、心の中のもっと深く穏やかな場所から書きはじめなければいけない。あいにく、例のやっかい者たちも一緒にノートに登場してしまう場合がよくある。なぜなら、彼らもあなたの頭の中にいるからだ。いつも裏庭や地下室や託児所に閉じ込めておければよいのだが、そうもいかない。だとしたら、ノートの中で五分か十分、言いたいことを言わせてやらざるをえないだろう。彼らに書かせてやるのだ。いったん書く場が与えられると、驚くかな、彼らのグチはたちまち退屈になり、あなたをうんざりさせるだろう。

これはエゴの抵抗にすぎない。エゴは創造力豊かに、みごとな抵抗作戦を立てることができる。初めての小説に取りかかった友人は、タイプライターに向かったら、最初の十分間は自分の悪口を書くと言っていた。「なんて下手なんだろう、小説を書こうなんてばかじゃないの……」。気がすむまで書いたら、紙を抜きとって破り捨て、やらなければいけない仕事――小説の次の章を書くこと――に取りかかったそうだ。

書きはじめるための自分なりの方法を決めておくことはたいせつだ。さもないと、まず先に皿洗いをしなきゃとか、書くことから自分の気をそらしてくれそうなものが最優先されかねない。黙って腰を据えて書かなければいけないときが、いつかはやってくる。書くことはたしかにしんどい。しかし、書くという作業はそもそも、とても単純で地味なものなのだ。それをもっと魅力的にしてくれるようなからくりは存在しない。私たちのせわしない心は、書くよりはおしゃれなレストランで友達とエゴの抵抗について話したり、書けないという問題を解決しにセラピストのところに行きたがる。私たちは単純な仕事を複雑にするのが好きなのだ。禅にはこんな言いまわしがある。「話すときは話せ。歩くときは歩け。死ぬときは死ね」。書くときは書きなさい。罪悪感、非難、力づくの脅迫などと戦うのはやめよう。

ここまで言った以上、こんどは私自身用いたことのある方法をいくつかお教えしよう。

1. しばらくなにも書けなかった時期があった。そんなときは作家仲間に電話し、一週間後に会ってお互いの作品を読み合うことを約束する。そうすれば、その人に見せるために、なにかしら書かざるをえなくなる。

2. 私は文章教室で教えているため、生徒に出した宿題を自分もやらなければならない。私が教えはじめたのは、ものを書くようになって間《ま》もないころだった。というのも、十年前に住んでいたタオスにはあまり作家がおらず、仲間がほしかったので、女性のための文章教室を開くことにしたのだ。生徒に教えながら、私自身も書くことを学んでいった。インド人のヨーガ行者ババ・ハリ・ダスは言っている。「習うために教えよ」と。

3．朝起きると、私は自分にこう言う。「ナタリー、十時までは好きなことしていいわよ。でも十時になったら、必ずペンを握りなさい」。このように、私は自分にいくらかの余裕と物理的制限を与えることにしている。

4．朝起きたら、考えたり、顔を洗ったり、誰かに話したりする前に、まっすぐ机に向かい、書きはじめる。

5．この二カ月間、私は一日中、それも週五日、外で教えていた。家に帰るとぐったりして、書くことに抵抗を感じてしまう。解決策は、家から三ブロック離れたところにある素敵なクロワッサン屋だった。ここでは、三十セントで最高の手作りチョコレートチップ・クッキーが食べられる。ものを書きながら何時間いすわっていようと、店の人はなにひとつ文句を言わない。そこで、仕事から戻って一時間ほどすると、私はこう言うのだ。「ナタリー、〝クロワッサン・エキスプレス〟に行って一時間書いたら、ご褒美にチョコレートチップ・クッキーを二枚あげるよ」。チョコレートは私の活力源のひとつなので、帰宅して十五分もしないうちに私は家を飛び出した。ただそれにもひとつ問題があった。金曜日に私は、ずうずうしくも制限枠の二枚をオーバーして四枚もクッキーを食べておきながら、なにも書けなかったのだ。もちろん、書くことにのめり込んでいるときは、そのこと自体がいちばんのご褒美になる。

6．私はひと月でノートを使い切るようにしている。質についての基準はなく、量だけが問題だ。どんなくだらない内容でもかまわないから、とにかく一冊を埋めること。月の二十五日になってもまだ五ページしか書いておらず、月末までにあと七十ページ書かなければならないなら、残りの五日間で必死に挽回《ばんかい》しなくてはならない。

あなたにも自分に合ったいろいろなやり方が編み出せるはずだ。いずれにせよ、書けなくて罪悪感を感じ、その結果書くことを避けるようになり、プレッシャーが高まり、また罪悪感を感じる、といった悪循環だけには陥《おちい》らないでほしい。書く時間になったら、ひたすら書くことだ。

内なる編集者とのトラブル

ものを書くときに、自分の中の〝創造者《クリエイター》〟と〝編集者《エディター》〟（内なる検閲官）を切り離し、創造者がのびのびと呼吸し、探究や表現ができるようなスペースを作ることがたいせつだ。編集者がやかましくて、それと自分の独創的な声とを切り離せないようなときには、とりあえず腰をおろして、編集者の言っていることを書き出してみよう。言いたいだけ言わせてやるのだ。「おまえはばかだ。おまえにものが書けるなんて誰が言った？　おまえの書くものは気に食わん。おまえは最低だ。恥じさらしだ。なにひとつまともなことが言えないばかりか、綴りもまちがえる……」。おなじみの台詞《せりふ》じゃありませんか？

編集者のことがはっきりわかってくるほど、無視できるようになる。編集者の言うことも、酔っぱらいのたわごとのように、やがては背後の雑音と化すだろう。中身のない言葉に耳を傾け、それに力を与えるのはやめよう。「おまえは退屈だ」という声に耳を傾け、書く手を休めたなら、あなたは編集者の言葉の正しさを認め、それに力を与えたことになる。この〝声〟は、「退屈」とさえ言えば、あなたが立ち往生することを知っている。自分の書くものについてこの言葉が何度も口をついて出てくるのは、そのためだ。「おまえは退屈だ」という声を、遠くで風にはためく洗濯物だと考えよう。洗濯物はいつかは乾き、遠くの誰かが取り込み、たたんでくれる。あなたはそのあいだ、ひたすら書きつづけていればいいのだ。

ミネソタ州エルクトン――目の前にあるもの

私はミネソタ州エルクトンの教室に向かう。四月の初め、雪解けでぬかるんだ学校のまわりの畑はまだ耕されておらず、種も蒔《ま》かれていない。空は鉛色《なまり》。綴りの練習に〝rabbis〟〔ラビの複数形：ユダヤ教司祭〕という単語が出てきたと聞いて、私は二十五人の中学生に自分がユダヤ人だと教えた。ユダヤ人に会ったことのある生徒はひとりもいなかった。それで私は気がついた。これからの一時間に私のすることすべてが、〝ユダヤ人〟を代表してしまうのだと。たとえば私はリンゴをかじりながら教室に入ってきた（→ユダヤ人はみんなリンゴを食べる）。私は小さな町に住んだことがないと言った（→ユダヤ人は小さな町に住まない）。生徒のひとりは、ナチスの強制収容所に入れられた人を知っているかと質問してきた。私たちはドイツ人について話した。ドイツ系の子供が多かったのだ。

生徒たちはとても思いやりがあり、その傷つきやすい心には、美しい奥深さがあった。彼らは自分たちの飲み水がどの井戸から来るのか知っている。二年前に逃げた猫がもう戻らないこと、風に向かって髪をなびかせて走るのがどんな気持ちなのかも知っている。だから、詩のルールを教える必要はなかった。彼らはすでにいろいろ体験し、ものごとの核心に近づいていたからだ。そこで私はたずねた。「みんなはどこの出身？　誰？　どんな人なのかしら？」　自分は都会の出身だけど、ここにあるような畑のことも知っている、と私は生徒たちに言った。ものを書いていると、なんでも知ることができる。ここにいながらニューヨークの街のこともわかる。他のものの一部を自分の中で生かすこともできる。「私は飛び立ったきり戻らないカラスの翼」というふうに。

これから述べることは、文章を生み出すひとつの方法だ。なにをするか決めずに教室に行ったことがある。こわがらず、その場に対して心を開いていると、状況そのものがテーマを提供してくれた。どこに行ってもそうなるのが、私にはわかっている。コツは、つねに心を開いておくことだ。マンハッタンの中心にある学校では、出来合いの作文練習用教材で身を固めて教室に出るかもしれない。よそよりもずっとこわいからだ。ニューヨーク育ちの私は、いろいろな話を聞いて知っている。しかし、誰の場合でも——とりわけ私自身にとっては——こわがったら負けだ。こわがっていると、私の書くものは歪《ゆが》み、真実から離れていく。「でもあそこなら、こわがって当然よ！」　いや、それでは偏見の肩を持つことになる。

一九七〇年に大学を卒業すると、私はデトロイトの公立学校の代用教員になった。ちょうど人種暴動のあとで、学生のあいだでもブラックパワー解放の気運が高まっていた。私は世間知らずで、デトロイトに移ってきたばかりだった。すべてが新鮮で、私は心を開いていた。生徒が黒人ばかりという高校から声がかかり、そこで国語〔英語〕を教えることになった。「やった」と思った。私は大学で国語を専攻したからだ。ボロボロになった英文学選集をつかんで、車で学校に向かった。ベルが鳴ると、高二の生徒たちがぞろぞろ教室に入ってきた。「よう、ねえちゃん、ここでなにしてんのさ?」生徒がまじめに席に着きそうにないのは明らかだったが、私は気にしなかった。これは国語の授業で、私は文学に惚《ほ》れ込んでいる。「ちょっと待ってよ。私の気に入っている詩を、みんなと一緒に読もうと思うの」。私は大好きなジェラルド・マンリー・ホプキンズの「神の威光」(*God Grandeur*)を読んできかせた。この詩は大学時代にもよく朗読して、ルームメートにうるさがられたものだ。デトロイトのこの国語のクラスでも、あのころと同じ情熱をこめてこの詩を読んだ。読み終わってしばらく、生徒たちは静まりかえっていた。するとひとりがラングストン・ヒューズの詩集をつかみ、私に押しつけて言った。「これ読んでよ」。五十分の授業は、リクエストの出た黒人作家の詩をみんなで朗読することに終始した。

作家は、書く対象にいつも初心で臨まなければいけない。エルクトンの教師が私を脇に呼んで言った。「机の下を見て。床が泥靴で汚れているでしょう。いい知らせよ。春が来たのよ」。私は初めてのように驚いて見つめる。

書くためのアイデアや題材を見つけるにはどうしたらいいのだろう？　自分の目の前にあるものならなんでも、よいスタートになる。それから外に出て、町中を探索しよう。どこに行ってもかまわない。知っていることすべてを読み手に伝えよう。それについて証明できなくても、勉強不足であっても、気にしないでほしい。私はエルクトン近辺の畑について知っている。私がそう言っているのだから説明不要だ。それにここは私がいつまでも歩きに行きたい場所だからだ。「永遠」といっても、実際はゲスト詩人として、トラクター会社のセールスマンとして、あるいは西へ向かう旅人として、一週間滞在するだけかもしれない、なんて悩む必要はない。書きたいと思った言葉はなんでも書こう。そうしてから手放せばいいのだから。

井戸を掘る

自分の才能や能力について悩むのはやめよう。そんなものは書きつづけていくうちに伸びていく。「能力とは地下水のようなもの」と片桐老師は言った。誰のものでもないが、誰でも井戸を掘って汲《く》みだすことができる。井戸を掘れば地下水が湧いて出てくるように、がんばって修行を続ければ能力もついてくるものだ。だから、修行あるのみ。自分の内なる声を信頼できるようになったら、それを一定の方向に導いてみよう。小説を書きたいと思うなら、実際に小説を書いてみる。エッセイや短編がよければ、それを書く。そうやって実践するうちに、書き方は自然と身についていく。必要なテクニックや技巧は徐々に習得できるものだ、と自信を持ってほしい。

ところが、貧しい心でものを書きはじめる人はたくさんいる。自分が空っぽなものだから、書くことを勉強するのに先生やクラスに飛びつくのだ。書くことは書くことを通じて学べる。単純なことだ。自分をほったらかしにして、文章の権威と思える人のところへ行ったって、なにも学べやしない。私の愛すべき太っちょの友人は、運動を始める決意をした。ただし、運動について書いてある本を探しに本屋に行ったのだ！　運動についての本を読んでも体重が減るわけない。ぜい肉を落とすには運動するしかない。

学校の国語教育の大きな問題は、生まれながらにして詩人や物語作家である子供たちに文学を読ませ、一歩離れたところから文学について語らせることだ。

赤い手押し車

ウィリアム・カルロス・ウィリアムズ

赤い手押し車には
とてもたくさんのことがある
雨水に濡れて輝き
その横には
何羽もの白いニワトリ(4)

国語の授業ではこの詩について、「作者は『赤い手押し車』という言葉でなにを言いたかったのだろう？　夕日？　それとも馬車？　どうして『雨水に濡れて輝』いていたんだろう?……」と、質問ばかり浴びせかける。詩人はただ手押し車のことを言いたかったにすぎず、それは赤だから赤で、ちょうど雨が降ったあとだったのだ。「とてもたくさんのことがある」のは、詩とは瞬間の悟《さと》りだからだ。あの瞬間《とき》、あるがままの手押し車が詩人を覚醒《かくせい》させた。そして、それが彼にとって一切だったのだ。

詩を教えるには、詩人が言葉に差し込んだ秘密の鍵を、読み手が見つけられるようにするのがいい。といっても、詩はミステリー小説ではない。自分から積極的に作品に迫っていかなくてはいけない。作者が口に出したときのように、イメージや言葉を呼び起こせるようになろう。詩に込められた暖かさや炎に触れることなく、イメージや言葉について話すのではだめだ。作品と一体になること。これが書くことを学ぶ方法だ。原作に忠実であれ。初心から離れず、初心から書きはじめよう。

作者と作品は別のもの

私たちは自分が存在することを信じて疑わない。これは大きな問題だ。同様に私たちは、自分の言葉が永遠で確固としたもの、消すことのできない烙印《らくいん》だと考えている。しかし、そんなことはない。書くことは時間の中に起こる刹那《せつな》的な出来事なのだ。朗読会で詩を読むとき、聴衆の中には私の詩イコール私であると考える人がいる。たとえ詩の中で一人称を使っていても、それは私自身ではない。詩とは、それを書いているときの私の考え、私の手、その場の空間、そして感情の総体である。自分をよく観察してみるといい。私たちは時々刻々変化している。これは素晴らしいチャンスだ。なぜなら、どの瞬間にも、私たちは凝《こ》り固まった自分の殻や考えから抜け出して、心機一転することができるのだから。書くとはそういうもの。書くことは、私たちを凍りつかせるのではなく、解放する行為なのだ。

なにかを表現することができたとき、たとえば年老いた夫や、古い靴や、どんより曇ったマイアミで朝食に食べたチーズサンドについての思いを伝えることができたとき、あなたは心の中で感じたことを、自分の書く言葉と正しく結びつけたことになる。そのとき、心には葛藤《かっとう》がなくなり、あなたは自由になる。あなたは自分の思考や感情を受け入れ、それと一体になったのだ。私は「絶望」(*No Hope*)という長い詩を書いたことがある。この詩のことを思うたびに私はうれしくなる。というのも、書いている最中、憂うつや空虚さを表現する自分の能力に私は活気づけられ、こわいものなしの気分になっていたからだ。けれども、私がその詩を読むと、みんなは「ずいぶん悲しいわね」と言う。ちがうのよ、と説明しようとしても、誰も本気にしてくれない。

自分の書いた詩は自分そのものではないと心しておくことがたいせつだ。けれども、作品に対して人はそれぞれ好き勝手な反応をする。それにまた、もしあなたが詩を書こうとするなら、無反応にも慣れておく必要があるだろう。無反応でもだいじょうぶ。活力はいつも、書くという行為の内にある。そこに何度も何度も立ち返ろう。自分の詩をほめられたからといって、それにとらわれてもいけない。ほめられるのはたしかに楽しいことだ。けれども、そうなってしょっちゅう朗読をリクエストされるようになると、しまいに自分の詩にうんざりしてしまうことになる。よい詩を書いたら、それにこだわらずに先に進もう。出版し、朗読し、また書きつづけるのだ。

ゴルウェイ・キンネルの秀作『悪夢の書』（*The Book of Nightmares*）が出版されたときのことを、私はよく覚えている。場所はアナーバー。木曜の午後だった。私は彼の名を聞いたこともなければ、その読み方さえ知らなかった。その彼が本の中の詩を目の前でいくつか歌ったのだ。彼にとってそれはみな、できたばかりの、わくわくするような作品で、大きな成功でもあった。それから六年後、私は彼がニューメキシコ州サンタ・フェのセント・ジョンズで同じ詩を読むのを聞いた。六年間に何度も読んだため、彼自身はこの本に飽きてしまっていた。ざーっと読んだあと彼は本を閉じ、やにわにこう言った。「パーティーはどこでやるの？」そのおなじみの詩には、もはや彼にとって危険なものはなにもなかった。しびれるような昔の雰囲気もなくなっていた。

詩のいくつかが有名になりすぎて動きがとれなくなるのは苦しいものだ。ほんとうの生命は書く行為の中にあるのであって、同じ作品を何年も繰り返し朗読することにあるのではない。私たちにはつねに新たなひらめき、新たなヴィジョンが必要だ。私たちは決まった形で存在するわけではない。一篇の詩に託せば一生満足できるというような、永遠の真実は存在しない。作品と自分とを同一視しすぎないようにしよう。紙に書かれた言葉の裏で、流動的な姿勢を保っていよう。書かれた言葉はあなたではない。作品とは、あなたの中を通過した素晴らしい瞬間だ。それは、目覚めた心で書きとめることのできた瞬間なのだ。

自動車を食べる男

何年か前、新聞に面白い記事が載った。私自身その記事を読んだわけではなく、人から聞いたのだが、インドのあるヨーガ行者が自動車を食べたというのだ。一度に全部ではなく、ゆっくりと一年かけて食べたそうだ。私はこの手の話が大好きだ。食べたあと、体重はどれくらい増えたのかしら？　何歳の人？　歯はみんなそろっていたの？　キャブレターや、ハンドルや、ラジオも食べたの？　どこのメーカーの車？　オイルは飲んだのかしら？

私はこの話を、ミネソタ州オワトンナの小学校三年生にしてみた。生徒たちは青いじゅうたんにすわって私の話を聞いた。みんな、さっぱりわけがわからないようで、「どうして車なんか食べたの？」とごくあたりまえの質問をしてきた。それから「ゲー！」という声。けれども、元気よさそうな茶色い目の生徒――この子とは生涯の友達になれそうだ――は、私を見るなりいきなり大笑いした。私も笑いだした。すごいじゃない！　人が車を食べちゃったなんて！　この話にはそもそも理屈なんてまったくない。ひたすらばかげているのだ。

書くことは、ある意味でこうあるべきだ。「なぜ」と聞いたり、お菓子（またはスパークプラグ）の山からそっといくつかつまみあげるようにではなく、なんでも好き放題心に食べさせ、それから紙の上に勢いよくどっと吐き出すのだ。「これは書くに値する題材だ」「そんなことは書くべきじゃない」などと考えないこと。書くことはすべてであり、無条件だ。書くことと人生と心とのあいだに分離など存在しない。人に車を食べさせるほど思考が拡大すれば、あなたにはアリがゾウに、男が女に見えるようになるだろう。形あるあらゆるものの境が透明になり、一切の分離が消え去るのがわかるようになるだろう。

これが暗喩《メタファー》というものだ。アリとゾウは似ていると言おうとしているわけじゃない。まあ、どちらも生き物だという点では似ているだろう。しかし、そういうことじゃない。暗喩とは、そのアリはゾウであると言い切ることなのだ。論理的な精神で見れば、アリとゾウはたしかにちがう。目の前にアリとゾウが並べば、私はどちらがゾウでどちらがアリかをいつでも正しく言い当てられるだろう。そうであるなら、暗喩とは、論理や知性とはまったく別の意識から生まれてくるものにちがいない。それは、決まりきったものの見方から一歩はずれようとする意志と、アリとゾウが一体に見えるまで心を開く勇敢な姿勢とから生まれるものなのだ。

しかし、暗喩についてあれこれ悩む必要はない。「暗喩を使って文学的に書かなくちゃ」などと考えないことだ。そもそも、文学的になる必要などはない。暗喩は無理強いできるものじゃない。ゾウはアリであると書きながら、心のどこかでそれを信じていなければ、その文章はニセモノっぽく聞こえるだろう。逆にそれを少しの疑いもなく信じるなら、誰かに変人扱いされるかもしれない。でも、ニセモノであるよりは変人であるほうがましだ。

それにしても、心から信じて暗喩を書くにはどうしたらいいのだろう？

なんであれ、心に無理強いしてはいけない。じゃまにならないよう一歩退いて、内側から湧いてくる思考を書きとめるだけでいい。作文練習は心と頭をもみほぐし、リンゴとミルク、あるいは虎とセロリの厳密なちがいが消えてしまうぐらいに私たちを柔軟にしてくれる。月を通り抜けて熊の中に入り込むことも可能だ。湧いてくる思考に従っていけば、こうした飛躍があなたにも訪れてくるだろう。なぜなら、心とは本来大きな飛躍をするものだからだ。ひとつの考えだけを、長いあいだ頭に留めておけたことがあるだろうか？すぐ別の考えが浮かんできてしまったはずだ。

心が飛躍するものなら、文章も飛躍するだろう。しかしそれは、わざとらしいものであってはならない。あなたの文章は第一の思考の性質を反映したもの、偏見にとらわれずものごとの本来の在り方が見えているときの、あなたの世界観を反映したものでなければならない。私たちはみなつながっている。暗喩はそのことを知っており、それゆえに宗教的だ。アリとゾウのあいだに境界はない。雨ごしに見ているときのように、あるいは目を細めて都会のネオンを見ているときのように、すべての境界は消え去るのだ。

書くことはマクドナルドのハンバーガーではない

私の生徒の中には、初めから上手に書ける人もときどきいる。いま私は、ある生徒のことを思い浮かべて言っている。彼が作品を朗読しはじめると、まわりの空気は電気を帯びたようになり、読んでいる本人が震えている場合もしばしばあった。書くというプロセスが彼の殻をぶち破り、生身の自分がさらけ出されたのだ。十四歳で精神病院に入れられたこと、ＬＳＤでトリップしながらミネソタの町をうろつきまわったこと、サンフランシスコで兄の死体のかたわらにすわり込んでいたことなどを彼は表現することができた。ものを書きたいと何年も思っていた、と彼は言った。作家になるべきだとまわりから言われたが、いざ机に向かうと、出来事や自分の気持ちを言葉に結びつけることがどうしてもできなかった。

彼が書けなかったのは、あらかじめ書くことを決めて紙に向かったからだ。もちろん、机に向かったときに自分がなにを言いたいかわかっていてもかまわない。ただしその場合は、その表現が自分の内部と紙の上に自然に生まれ出るようにしなければならない。書く内容を決めてかかってはいけない。表現をコントロールするのではなく、それが必然性に応じて出てくるようにするのだ。たしかにそうした経験、思い出、感情は私たちの中にある。とはいっても、やはりコックがピザをオーブンから取り出すように、それらを丸ごと紙の上に移すことは不可能だ。

書くときには一切の手綱《たづな》をゆるめ、自分の中にあるものを、ごくシンプルな言葉で書きはじめるようにしよう。なめらかな走り出しは期待できない。ぶきっちょな自分を大目に見てやろう。あなたは裸になり、人生をさらけ出しているのだから。それはエゴがそう見せたがっているような自己像ではなく、人間としてあるがままの自分だ。だからこそ、書くことは宗教的なのだと私は思う。書くことは、あなたのエゴの殻を割り、あたりまえの世界に対する柔軟な心を培ってくれるのだ。

機嫌が悪かったり、惨《みじ》めだったり、不満だったり、悲観的だったり、否定的になっていたり、くさっていたりするとき、私はそれをたんなる気分として認めるようにしている。いずれ気分が変わることはわかっている。またそれが、落ち着ける場所を探し、友達をほしがっているエネルギーだということもわかっている。

もちろん、「サンフランシスコで死んだ兄について」というような、書きたい題材があってもかまわない。ただしその題材には、頭から入っていくのではなく、身体全体——ハートとはらわたと両腕——で取り組むようにしよう。動物が痛みに悲鳴をあげているような、間《ま》の抜けた、ぎこちない書き出しでいい。そこに自分の知性、言葉、声を見つけることができるだろう。

人はよくこんなことを言う。「歩いていたら（あるいは車を運転していたら、買い物していたら、ジョギングしていたら……）、一篇の詩がまるごと頭に浮かんできたの。でもあとで机に向かって書こうとしたら、もう出てきてくれないのよ」。私だっていつもそうだ。すわって書くのは別の行為なのだ。散歩もジョギングも、そのとき浮かんできた詩も、手放してしまおう。いまはまた別の瞬間だ。別の詩を書こう。ちょっと前に思いついたことが出てきてくれるよう、心ひそかに期待しながら。でも、それがどんな形で出てきても、そのまま書こう。とにかく無理強いはしないこと。

前述の生徒は書くことに夢中になるあまり、さっそく一冊の本を書きあげようとした。私は彼にこう言った。「時間をかけておやりなさい。ある程度書いてみてコツをつかむのよ」。ものを書くということは一生の仕事であり、たくさんの練習が必要だ。私には彼のせっぱつまった思いが理解できる。人は、自分が有意義なことをしている、目的地に向かっている、なにごとかを成し遂《と》げている、と思いたがる。「私は本を書いている」というのもまさにそれなのだ。

大作を書こうと決心する前に、自分に余裕を与えよう。自分の言いたいことにそなわる力を信頼していこう。それはおのずからひとつの方向を取り、あなたにとって必然的なものになるだろう。しかしそれは、なにかを成し遂げようとする欲求とは別のところから生まれるものだ。書くことはマクドナルドのハンバーガーではない。調理には時間がかかるし、初めのうちは、それがローストになるのか、豪華なごちそうになるのか、ラムチョップになるのか見当もつかないのだから。

こだわり

私は折にふれて、自分がこだわっているもののリストを作ってみる。こだわりの対象はつねに変化し、増える傾向がある。なかにはありがたいことに、忘れてしまったものもある。

物書きは結局、自分のこだわりについて書くことになるものだ。自分にまとわりついて離れないこと、どうしても忘れられないこと、自分の中にあって解き放たれるのを待っている物語……。

私は生徒にこだわりのリストを作らせる。そうすることで、ふだん自分が無意識に（あるいは意識的に）絶えず考えていることがわかるからだ。いったん書きとめておくと、のちのちとても役に立つ。それが書く題材のリストになるからだ。また、大きなこだわりにはパワーがある。文章を書いているうちに、あなたは何度も何度もそこに戻ってくる。そのたびにあなたはそこから新しい物語を生み出すことになるだろう。そうであるなら、こだわりには逆らわないほうがよさそうだ。おそらくそれは、望もうが望むまいがあなたの人生を支配するものなのだから、できれば自分のために利用すべきだと思う。

私のこだわりのひとつは、自分のユダヤ系の家族だ。これについてはじゅうぶん書いたから、もう書くのはやめようと思うことがよくある。あまり母親のことばかり書いてお母さん子のように思われたくないし、書くことは他にもごまんとある。実際、ぜんぜん別の話題だって、ごく自然に頭に浮かんでくる。しかし家族のことを書くまいと決心すると、その抑圧行為が他のあらゆることも抑圧してしまうように感じられる。理由は簡単。なにかを避けることには多大なエネルギーがいるからだ。

それはダイエットを決意するのにも似ている。そう決意するやいなや、食べ物だけがこの世で唯一手ごたえのあるものに思えてくる。車の運転や、ジョギング、日記をつけることといった他のすべての行為は、とつぜんたまらなくほしくなる、たったひとつのものを避ける手段になるのだ。生活の中に食べ物や空腹の場を認めてやったほうが、私の場合はうまくいくようだ。けれども、一度にクッキー十二枚をむさぼり食べることにならないよう、やさしく認めてやる必要がある。

家族について書くことにも同じことが言える。数ページ与えてやれば、家族は「こだわりの殿堂」の中で自らの場を持つことになり、私が他のことを書いても許してくれるだろう。抑圧しようとすれば、それらはたわいない詩の中にさえ、いつも登場することになるだろう。たとえば詩の中に出てくるアイオワの農家の主婦でさえ、いまにもブリンツ〔薄いパンケーキでチーズやジャムなどをくるんで焼いたユダヤ料理〕を作りはじめそうな口調になるのだ。

アルコール依存症から立ちなおりつつある人から、こんなことを聞いた。依存症の人はパーティーに行くと、どこにどれだけお酒があるか、自分がどれだけ飲んだか、次の一杯をどこで手に入れられるかをつねに把握しているそうだ。私自身はそれほど酒好きではないが、チョコレートに目がないのはわかっている。依存症の人の行動について聞いたあと、私は自分を観察することにした。翌日、私は友達の家にいた。彼のルームメートがチョコレートケーキを作っていた。私と友達は映画を観に行くことになっていたため、ケーキが焼きあがる前に家を出なければならなかった。映画を観ているあいだ、私の頭の片すみにはずっとケーキのことがちらついていた。早く戻ってあのケーキを食べたい。映画が終わると、私たちは別の友達とばったり出会い、どこかで話をしないかということになった。私は自分がパニック状態になっているのがわかった。それほどまでケーキが食べたかったのだ。私は、いったん友人の家に戻ってから出なおさなくてはいけない理由をあせってでっちあげた。

人は抑えがたい欲望に支配される。そんなのは私だけなのかもしれないが、とにかく、こだわりにはパワーがあるようだ。そのパワーを利用しよう。物書き仲間のほとんどが書くことにこだわっているのを私は知っている。そのこだわりはチョコレートと同じ働きをする。なにをしていようと、いつもなにかを書いていなければいけないと物書きは思っている。それはけっして楽しいことじゃない。芸術家の人生が楽だなんてとんでもない。作品をつくっていないかぎり、けっして自由にはなれない。でも作品をつくるほうが、お酒をたくさん飲んだりチョコレートをむさぼるよりもいいことではなかろうか。依存症の作家が酒を浴びるように飲むのは、なにも書いていなかったり、書けなかったりするせいなんじゃないか、と私は思っている。作家だから酒を飲むのでなく、作家なのに書いていないから飲むのにちがいない。

物書きであること、また書くという行為の中には自由がある。それは自分の能力をフルに発揮することだからだ。昔の私は、自由とは自分のしたいことをすることだと思っていた。しかし、ほんとうの自由とは、自分が誰であり、この世における使命がなんなのかを知り、それをひたすら実行することだ。自分のユダヤ系の家族の歴史――ブルックリン、ロングアイランド、マイアミ・ビーチにいたアメリカ初代のゴールドバーグ家の人々――について、忘れられないうちに書くことがこの世における私の役割であるなら、そんなことを書くのはもうやめようと考えて他のテーマを手がけることは、けっして自由とは言えないのだ。

片桐老師はこう言う。「芸術家はかわいそうに。彼らの苦しみは大変だよ。傑作ができあがってもけっして満足しない。もっといいものをつくろうと仕事を続けていくのだから」。そのとおり。でもそうしたいという衝動に駆られるなら、仕事を続けてなにかをまたひとつやり遂げるほうが、酒に手を出してアル中になったり、チョコレートを山ほど食べて太るよりずっとましだと思う。

だから、こだわりはよくないといっても、すべてよくないわけじゃない。たとえば平和にこだわるのはいいことだ。でも、それにこだわるなら、まず自分自身心安らかになろう。平和についてただ考えるだけではだめだ。書くことにこだわるのはいいことだ。でも、こだわるなら、書きなさい。それを歪めて飲酒に変えてしまってはいけない。チョコレートへのこだわりはよくない。はい、よくわかっております。それは健康に悪いばかりでなく、平和や文章のように、世の中のためになるわけでもありません。

エルサルバドルについて書いた詩、「私たちのあいだの国」（*The Country Between Us*）でラモント賞〔現在はジェームズ・ラフリン賞〕を受けたキャロリン・フォーシェイはこう言っている。「政治について書くには、心のいちばん奥にあるこだわりを変えなさい」。この言葉は納得できる。政治について書くべきだと考えるだけでは、政治は書けない。書いたところで、どうしようもないものしかできないだろう。政治に関心を持ち、政治について読み、話すことから始め、それが自分の文章にどんな影響を与えるかなどと心配しないこと。政治がひとつのこだわりになったとき、あなたはごく自然に政治について書くようになるだろう。

自分独自のディテール

この章は短いけれども、内容はとても重要だ。それは、オリジナルなディテール、すなわち自分独自のディテールを使いなさい、ということ。人生は限りなく豊かだ。ものごとの過去・現在のディテールをありのままに書き表すことができれば、他のことはほとんどいらないだろう。もしあなたの書くものにバーが出てくるなら、以前にお酒を飲んだことがあるニューヨークの〝エアロ・タヴァーン〟の情景（額縁をはめたような窓、ビールの広告、ポテトチップスの入ったケース、脚の長い真っ赤なスツール）をそこに移植することで――たとえそこが別の場所や別の時代であっても――、その文章には信憑《しんぴょう》性と土台がそなわることだろう。「だめだめ。あのバーはロングアイランドにあったのよ。ニュージャージーには持っていけないわ」。だいじょうぶ。自分独自のディテールには融通をきかせてかまわない。創造力はディテールの移植をやってのけられる。自分が実際に見知っているディテールは、移植先の物語に信憑性と本物らしさを与えてくれるだろう。それは家を建てる前にしっかりした土台を築くのに似ている。

とはいっても、あなたが暑い八月の雨降るニューオーリンズに行って、聖チャールズ通りの〝マグノリア・バー〟でザリガニの頭をすすったからといって、一月の夜のクリーヴランドのバーを舞台にした小説で、同じことを手首の太い登場人物にやらせるわけにはいかない。もっとも、すべての境界がなくなってしまうようなシュールレアリズム的小説を書こうとするなら、話は別だが。

身のまわりのディテールに気を配ろう。でも自意識過剰になってはいけない。「さあ、私はいま結婚披露宴に出席している。花嫁のドレスは青、花婿は赤いカーネーションを胸に差している。二人はレバーチョップを盛りつけている……」。こんなふうにする必要はない。くつろいで披露宴を楽しみ、心をオープンにしてそこにいよう。そうすれば、まわりのものごとはごく自然にあなたの中に入ってきて、あとで机に向かったときも容易に思い出せるはずだ。花嫁のお母さんとダンスをしたっけ。その人は赤毛で、笑うと前歯についた赤い口紅が見えた。香水に汗の匂いが混じっていたなあ……。

ディテールの威力

私はいま、ミネソタ州オワトンナの〝コスタズ・チョコレート・ショップ〟にいる。向かいには友人がすわっている。ギリシア風サラダを食べ終わり、水の入ったグラス、半分飲みかけのコーラ、カフェオレが置かれたままのテーブルにノートを広げて三十分ほど書いている。ブースはオレンジ色、正面カウンターの前にはチョコレートで固めたクリームキャンディーが並んでいる。通りを隔《へだ》ててオワトンナ銀行がある。これは著名な建築家フランク・ロイド・ライトの師であるルイス・サリヴァンが設計したものだ。建物の中には牛をあしらった大きな壁画と美しいステンドグラスの窓がある。

私たちの人生は平凡であると同時に神話的でもある。私たちは生き、美しく歳をとろうがしわくちゃになろうが、やがては死ぬ運命にある。朝目覚め、黄色いチーズを買い、払うお金がちゃんとあることを望む。そうしているあいだにも私たちの体内では、この立派な心臓が脈打ち、私たちが生きてこの地上で味わうすべての悲しみや冬を乗り越えていく。

私たちは貴《とうと》く、私たちの生命も貴い。ほんとうに大したものだ。だからこそ、そのディテールは記録するに値するのだ。ものを書こうとする者はすべからくこのように考えるべきだろう。そんな気構えで机に向かい、ペンを握らなければいけない。私たちはここに存在した。私たちは人間として、こんなふうに生きた。私たちの目の前で起こったことを知らせよう。私たちのディテールは重要だ。そうでなかったら、爆弾を落として知らん顔していられるはずだ。

エルサレムには、ユダヤ人大量殺戮《ホロコースト》の記念館〝ヤド・ヴァシェム〟がある。そこには六百万の犠牲者の名を目録にした大きな図書館がある。名前ばかりではない。ひとりひとりについて知りうるかぎりの記録――たとえばどこで生まれ、どこに住んでいたかなど――が収められている。誰もがこの世に実在したたいせつな人たちだった。ヤド・ヴァシェムとはまさに「名前の記念」という意味だ。殺された人たちは名もない大衆ではなく、立派な一個人だったのだ。

ワシントンにもヴェトナム戦没者慰霊碑がある。そこにはヴェトナムで戦死したアメリカ兵五万人の名前が、ミドルネームも含めて記録されている。名前を持った実在の人物が殺され、この地上から生命を奪われたのだ。小学校二年のときの級友ドナルド・ミラーの名前もそこにある。あのころ、彼の算数のテストの余白は、戦車や兵隊や船の絵でいっぱいだった。名前を見ることで、私たちはその人のことを思い出す。名前は私たちが一生背負っていくものだ。教室で出席をとられるとき、卒業式で読みあげられるとき、夜そっとささやかれるとき、私たちは呼ばれた名前に応える。

自分が誰なのか、どこに住んでいたのかを実名で告げ、人生を詳細に綴ることは、とても大事なことだ。たとえば、「私はアルバカーキのコール・ストリートのガレージの隣に住み、食料品の入った紙袋をリード・アヴェニューまで運んだ。その春の初めにビーツを植えた人がいたので、赤と緑の葉が育つのを見た」と。

私たちは生きてきた。その一瞬一瞬がたいせつなものだ。物書きになるということは、歴史を築くディテールの運搬人になること。オワトンナの喫茶店のオレンジ色のブースをたいせつにすることなのだ。

人生のディテールを記録することは、大量殺戮が可能な爆弾や、行きすぎたスピードや効率に反対する態度ともいえる。物書きは人生に、すべての生命に、ガラスのコップやケンプのハーフアンドハーフ〔牛乳と生クリームを半分ずつ混ぜたもの。コーヒーなどに使う〕に、カウンターに置かれたケチャップに「イエス」と言わなければならない。物書きは、「小さな町に住むのはばからしい」とか「家で自然食ができるのにわざわざ外食するのはばからしい」などと言うべきではない。物書きである私たちの仕事は、人生のあるがままの現実に対して聖なる「イエス」を言うことだ。たとえば自分のみてくれ——ちょっと太目だ——、寒々しい灰色の街、ショーケースに入ったクリスマスの安ピカの飾り、オレンジ色のブースにすわっているユダヤ系の作家、その向かいにすわっている金髪の友達（黒人の子を持つ母）、などにまつわる真実に「イエス」を言うことだ。私たちはものごとをあるがままに受け入れ、そのディテールを愛し、唇に「イエス」を乗せて前進できる人間にならなくてはいけない。世界から「ノー」が消え去るように。人生を無効にし、ディテールの存続をはばむ「ノー」がなくなるように。

ケーキを焼く

ケーキを焼くには、まず材料が必要だ。砂糖、小麦粉、バター、重曹、卵、牛乳。次に材料をボールに入れてかきまぜる。これだけではまだケーキにならない。このドロドロの液体をケーキに変身させるには、オーブンに入れて熱とエネルギーを加えてやらなければならない。できあがったケーキは、もとの材料の面影もとどめないほど様変わりしているだろう。ヒッピーになった子供を自分の子と認めたがらない六〇年代の親のように、牛乳と卵はパウンドケーキを見て言う。「うちの子じゃないわ」。それは卵でも牛乳でもなく、移民の親から生まれた博士号を持つ娘――家の中の異邦人だ。

ものを書くことは、ある意味でケーキ作りに似ている。材料――自分の人生のディテール――がそろっていても、それを並べるだけでは不十分だ。「私はブルックリン生まれの女性で、父も母も健在」。これにハートから出る熱とエネルギーを加えてやらなければならない。たとえばこの父親は、どこの父親でもいいというのではなく、あなたのお父さんでなければならない。葉巻を吸い、ステーキにケチャップをかけすぎるあの人。あなたが愛し、憎んだ人。ボールに放り込んだだけの材料には生命がない。愛していようと憎んでいようと、まず自分自身がディテールと一体になる必要がある。そうなれば、材料はあなたの身体の延長になる。「聖なるディテールを愛撫せよ」と作家のナボコフは言う。「無理やり押し込んだり、叩きまくれ」とは言っていない。愛撫するのだ。やさしく触れるのだ。身のまわりのことに気を配ろう。川のことを書くなら、身体全体で川に触れてみよう。もしその川を「黄色い」「面白くない」「ゆるやかだ」と描写するなら、あなたのすべてがそう感じていなければならない。ものごとに深く関わるとき、自分がそこから分離しているようではだめだ。片桐老師はこう言っている。「坐禅をするとき、自分は消え失せなければならない。そうすれば坐禅が坐禅をしてくれる。バーバラやスティーヴが坐禅をするのではないぞ」。ものを書くときの態度もそうあるべきだ。書くという行為自体が文章を綴っていく。あなたはただ、自分の中を流れていく思考を記録するだけだ。

　オーブンの中でケーキは焼きあがっていく。すべての熱はケーキを焼くことに集中する。その熱は、「ほんとうはパウンドケーキじゃなくてチョコレートケーキを作りたかったんだ」などと考えて、脇道にそれたりはしない。同様に、文章を書いているときは、「あーあ、こんな人生いやだなあ。イリノイ州に生まれていればよかった」などと考えるべきではない。考えてはいけない。あるがままを受け入れて、その真実を書き出すのだ。片桐老師はこうも言っている。「文学は人生のなんたるかを教えてくれるだろうが、そこから抜け出す方法は教えてくれない」。

オーブンは思いどおりにならないこともある。そんなときは火をつける工夫が必要だ。書く時間に制限を設けるようにすると、プレッシャーが高まって、材料によく熱がまわり、心の検閲官を追っ払うことが容易になる。手を休まず動かしつづけることにも加熱作用がある。そうしていくうちに、日々のディテールの混ぜ合わせから美しいケーキができあがるかもしれない。書いているとき時計に目がいってしようがないなら、自分にこう言い聞かせよう。「何時間かかろうと、三枚（何枚でもいい）の紙の裏表を埋めるまでは――すなわちケーキが焼きあがるまでは――書きつづけること」。また、いったん熱が起こりはじめたら、それが悪魔のケーキになるのか天使のケーキになるのかはわからない。なんの保証もない。でも心配無用。どちらもおいしいのだから。

材料なしに熱だけでケーキを焼こうとする人がいる。熱はホカホカしていい感じだが、調理が終わっても人に食べてもらえるようなものはほとんどない。抽象的な文章がそのよい例だ。一見熱がこもっているように見えるのだが、読んでみると具体的な歯ごたえがなにもない。文章にディテールを盛り込むなら、自分が感じたエクスタシーや悲しみをもっと上手に伝えることができる。オーブンの熱もたいせつだが、ケーキの材料を忘れてはなんにもならない。自分の気持ちがどんな味なのか読者にわかるよう、ちゃんと材料を入れること。そうすれば、読者もグルメのように、「あら、それってパウンドケーキね、チョコレートケーキね、レモンスフレね……」と言ってくれるだろう。書き手の気持ちはそんなふうに感じられるわけだ。「すごかった、すごかった！」と書くだけではだめ。すごいのはわかったけど、どんなふうにすごかったの？　その風味を読者に伝えてほしい。言いかえるなら、ディテールを使うこと。ディテールはものを書くときの基本単位なのだから。

ディテールを使うとき、あなたはただケーキを焼いてオーブンのまわりであたふたしているだけではない。ディテールを盛り込むことによって、あなたは自分の顔を世界に向けることになる。それはきわめて政治的な行為だと言えるだろう。なぜなら、そのときあなたは自分の感情の熱にただ浸《ひた》りきっているだけではなく、飢《う》えた人々においしいパンの固まりを差し出しているのだから。

二度生きる

　物書きは人生を二度経験する。もちろんふつうの生活もおくっている。みんなと同じようなペースで、道路を渡ったり、出勤の支度をしたり、スーパーで買い物したりする。しかし物書きには、ふだんの自分とは別に鍛えてきた分身がある。その分身は、あらゆることをもう一度経験しなおす。腰をおろして、人生をもう一度見なおし、繰り返す。それは人生の肌合いや細部にも目を向ける。

　大雨が降ると、人は傘をさしたり、レインコートを着たり、新聞紙を頭にかざしたりして、大急ぎで通りを駆け抜ける。物書きは逆に、ペンとノートを手に、雨の降る道路に出ていく。水たまりに目をやり、それが広がっていくようすや、雨水がはねるのをじっと見つめる。ばかになる練習をしているんじゃないかと人は思うかもしれない。雨の中にたたずんで水たまりを見つめるなんて、ばかでなきゃできない。もしあなたがお利口さんなら、風邪をひかないよう雨に濡れない場所に移るだろう。万が一のために健康保険証も持っているはずだ。でもばかなあなたは、身の安全や保険証や、仕事に遅刻しないかどうかより、水たまりに興味を引かれている。

結局のところ物書きは、お金を稼ぐことより、書くことの中で人生をもう一度生きることのほうに関心がある。もちろん、物書きだってお金は好きだ。また世間一般に信じられているのとは逆に、食べることが芸術家は大好きだ。ただちがうのは、お金が原動力にはならない、ということ。私は書く時間があると豊かに感じ、お金を稼ぐのに忙しくて本業がおろそかになると、とても貧しく感じてしまう。考えてみてほしい。会社は私たちの時間に対してお金を払っている。時間こそが人間の持つ唯一の価値ある商品といえる。私たちは人生の中の一定の時間をお金と交換しているのだ。でも、物書きは最初の一歩——自分の時間の中——にとどまり、お金と交換しなくても、時間はただそれだけで貴いと感じている。物書きは自分の時間にしがみつき、簡単に売り渡したりはしない。それは土地の相続とよく似ている。その土地はずっと家族とともにあり、家族のものだった。そこに誰かがやってきて、売ってくれと言う。そんなとき物書きは——頭がよければの話だが——ほんの少ししか売らないはずだ。土地を売れば、そのお金で二台目の車を買えるのはわかっているが、すわってのんびりしたり、夢見たりする場所がなくなってしまう。

ものを書きたいなら、多少ばかであるほうがいい。時間をほしがるグズな分身を自分の中に住まわせておこう。そうすれば、時間をすべて売らずにすむだろう。分身はどこかに行きたがり、雨の中で水たまりを見つめていたいとせがむだろう。自分の頭皮で雨水を感じたいと言って、帽子もかぶらずに……。

物書きはいい身体をしている

ものを書くことが肉体労働であることは、あまり知られていない。それは、思考だけではなく、視覚、嗅覚、味覚、感覚など、生きて動いているものすべてと関わっている。書く修行の基本は、休むことなく手を動かしつづけることだが、これは身体によって心理的抵抗を打ち砕き、「書くことはアイデアと思考のみに関わる」という既成概念を切り捨てる方法なのだ。五感によって蓄えられた記録は、腕から手へ、手からペンへと伝わっていく。あなたとペンとの関係はきわめて身体的なものだ。心と身体とのあいだに隔たりはない。だからこそ、書くという肉体労働によって、心の壁を打ち砕くことができる。それは、空手で板を割るとき、板の向こう側まで手が突き抜けることを念じて行なうのとよく似ている。

創作クラスのあと、ある生徒が驚いて言った。「あっ、そうか！　書くことは視覚芸術《ヴィジュアル・アート》なんだ！」そう、それにまた、運動感覚的芸術、本能的芸術でもある。私は小学四年生の子供たちに、ものを書く私の手はモハメッド・アリも倒せるのだと教えた。彼らは私の言うことを信じた。それがほんとうであることを知っていたからだ。六年生の場合は、もっと大人で疑い深くなっている。私は拳で灰色のロッカーを叩いて見せなければならなかった。

ものを書いている人々を見ると、私にはその身体の姿勢から、彼らが抵抗を打ち砕いたかどうかがわかる。抵抗のなくなった人は、もはや歯を食いしばったりせず、顎《あご》がゆるんでいる。心臓は痛いほど力強く脈打っていることだろう。呼吸は深々としている。その書く字は力みがなく大らかな感じで、身体は何マイルも走れるほどリラックスしている。太っていようと痩《や》せていようと、締まりのない身体つきであろうと、物書きはみないい身体をしていると私が言うのはそのためだ。彼らはいつも鍛えている。このことを忘れないでほしい。物書きの身体はチューニングが整い、強化されており、山道のリズムにも高速道路のリズムにも合わせることができる。紙の上を何マイルも長時間行くことができる。そして、さまざまな世界に優雅な仕草で出入りするのだ。

優秀な作家たちは、言葉というよりは、インスピレーションが湧いてきた瞬間の息を後世に残してくれる。たとえばシェリーの「雲雀《ひばり》の歌」（*To a Skylark*）のような偉大な詩を――定められた句読点どおりに正しく――朗読するなら、あなたは、彼がその詩を書いたときの霊感のこもった息を呼吸していることになる。その息は、百五十年たった現在も私たちの中によみがえってくるほど力強い。それを受け継ぐのはなんという爽快な経験だろう。だからこそ、次のことを覚えておいてほしい。ハイになりたかったら、ウイスキーを飲むかわりにシェイクスピア、テニソン、キーツ、ネルーダ、ホプキンズ、ミレー、ホイットマンを読もう。声に出して読み、身体を歌わせよう。

聴くこと

六歳のとき、私はブルックリンにいる従姉のピアノの前にすわっていた。自分も曲が弾けて、それに合わせて歌えるような気分になっていたのだ。「悲しみの中で、ああ、愛しい人」と私は歌った。すると、すぐ横でピアノの椅子にすわっていた九歳年上の従姉が、私の母に向かって金切り声をあげた。「シルビアおばさん、ナタリーは音痴よ！　歌が歌えないの！」　それ以来、私は歌を歌わなくなった。音楽もほとんど聞かなかった。ブロードウェイのミュージカルがラジオから流れてくると、歌詞は覚えてもけっしてメロディーを口ずさもうとしなかった。もっと大きくなってから、私は友達と曲当てゲームをした。私がハミングをすると、みんな大笑いしたものだ。その曲が『南太平洋』の「春よりも若く」だとまともに信じてくれる人はいなかった。若いころの私は笑いものになるという形の注目しか浴びることはなかった。心の内ではひそかにジプシー・ローズ・リー〔一九一一〜七〇。米国のストリッパー、歌手。舞台・映画で活躍〕になりたいと思っていたのだが……（だって、私はあらゆる曲のメロディと歌詞を知っていたのだ）。残念なことに、音楽の世界は基本的に私とは縁のないものだった。私は音痴だった。それは、足や指がないのと同じように、ひとつの身体的欠陥に思えた。

何年か前、私はスーフィーの歌のマスターからレッスンを受けることにした。彼によると、音痴などというものは存在せず、「歌とは、その九〇パーセントが聴くことだから、聴く練習をしなければいけない」のだそうだ。聴くことがマスターできれば、身体が音楽で満たされ、口を開けばそれが自然に流れ出すという。二、三週間後、私は生まれて初めて友達に合わせて歌うことができた。自分は悟ったのだと思ったぐらいだ。私の声が消え去り、友達の声とひとつになったのだ。

書くことも、九〇パーセントは聴くことだ。自分をいっぱいに満たすまでまわりの空間に聴き入るなら、ペンを握ったとき言葉がほとばしり出てくるはずだ。身のまわりの現実をとらえることができるなら、あなたの文章は他になにも必要としない。テーブルの向かいから話しかけてくる言葉だけでなく、空気や椅子やドアにも耳を傾けよう。そしてドアの向こうにも……。季節の音を取り込み、窓から入ってくる色も耳でとらえよう。いま自分のいるこの場所で、過去、現在、未来に耳を傾けるのだ。手や顔やうなじも使って、身体全体で聴くようにしよう。

聴くことは受容能力だ。真剣に聴くことができればできるほど、上手に書けるようになる。ものごとをあるがままに判断抜きで受け入れるなら、次の日、あなたはあるがままの真実を書くことができるだろう。ジャック・ケルアックは散文を書くための必須項目リストにこう記している。「あらゆることに対して素直であれ。オープンになれ。耳を傾けよ」。また、こうも言っている。「詩に費やす時間はない。あるがままのものごとを正確に書くこと」。ものごとのあるがままの姿をとらえることができれば、それだけで詩になるのである。

ラマ・ファウンデーションでラビ・ザルマン・シャクターがみんなにこんな話をしてくれた。彼がユダヤ教学校の学生だったとき、ノートをとることは禁じられていたそうだ。授業中は聴くことに専念し、講義が終わったらその内容を覚えていなければならなかったという。彼の言わんとしていることは、人はなんでも覚えられるということだ。それがむずかしいのは、私たち自身がものごとを抑圧することを選び、そうすることを自分の心に強いてきたからなのだ。

クラスで朗読が行なわれたあと、私は生徒たちによく「記憶の呼び起こし」をさせる。私はこう言う。「強く印象に残った部分を、作者が読んだ言葉にできるだけ忠実に繰り返してください。『農家についての描写がよかった』というような距離を置いた言い方ではなく、ディテールをそのまま引用してください。たとえば『畑にたたずんでいた私は、カラスよりも孤独だった』というように」。こうした判断抜きの深い聴き方は、読まれた言葉に対して心を開き、それを受け入れやすくさせる他に、自分の中にある物語やイメージを目覚めさせもする。こうやって聴くことで、あなたは真実《リアリティ》を映す鏡になる。あなた自身の真実、あなたのまわりの真実をはっきり映す鏡になるのだ。

文章の達人になりたいなら、基本的に次の三つのことが必要だ。たくさん読むこと、真剣によく聴くこと、そしてたくさん書くこと。それから、考えすぎは禁物だ。言葉と音と色鮮やかな感情が生み出す熱の中に飛び込み、ペンを紙の端から端まで動かしつづけよう。

書いているときにいい本に出会ったなら、その本のこともあなたの中から出てくるだろう。やさしいことではないかもしれないが、なにかを習得したいなら、その大本に当たることだ。十七世紀の俳人松尾芭蕉はこう言っている。「木について知りたければ、木のもとへ行くべし」。詩について知りたいなら、詩を読み、それに耳を傾けよう。その様式や形を自分の中に刷り込もう。一歩身を引いて論理的な頭で詩を分析したりしないこと。全身で詩の中に入るのだ。道元禅師はこう言っている。「霧の中を歩けば必ず濡れる」。だからこそ、ひたすら耳を傾け、読み、書き表そう。あなたは自分の言いたいことに少しずつ近づき、それを自分の言葉で書けるようになるだろう。

あせることも悩むこともない。歌でも口ずさみながら、それに合わせて書いていこう。

ハエと結婚するなかれ

作品の朗読を聞くとき、ちょっと注意してみよう。気がそぞろになるときがないだろうか？　作品に対して私たちはこんなふうにコメントすることがある。「よくわからないけれど、私にはちょっと深刻すぎるわ」「描写がくどくどしすぎて、ついていけない」。そんな場合、問題はたいてい読み手ではなく書き手の側にあるものだ。

そのとき、書き手は読者に背を向け、自分のことでいっぱいになっている。本来の話の流れを忘れて脇道にそれ、自分だけの世界に入り込んでしまっているのだ。

レストランの場面を書いていた人が、ナプキンにたかるハエに気を取られ、事細かに描写しはじめたとしよう。ハエの背中、ハエの見た夢、ハエの子供時代、網戸の目をくぐり抜けて飛ぶ技術……。読者（または聞き手）は戸惑ってしまうだろう。お話は、ウェイターがテーブルに近づいてきたところだった。聞き手はウェイターが食べ物をテーブルに置くのを待っている。書き手が話の方向性をはっきりつかんでいなかったり、うわの空で書いている場合もある。そんなとき、話にブレが生じる。曖昧《あいまい》さのために、読み手の注意はそこでそれてしまう。小さなギャップが生じ、読み手の心が作品から離れてしまうのだ。

文学の役割は、人を目覚めさせ、その場にしっかり存在させ、生きいきとさせることだ。書き手がうろうろすれば、読み手もうろうろしてしまう。テーブルのハエは、レストランの描写の一部にはなるかもしれない。また、ウェイターがテーブルに置いたサンドウィッチについて正確に書くことが適切である場合もあるだろう。しかし、正確さと自己耽溺《たんでき》とのあいだには、はっきりと線が引ける。

つねに正確であることを心がけよう。自分の目標を知り、つねにそれを意識しよう。自分の心や文章が脇道にそれたなら、やさしくもとに戻してやること。ものを書くと自分の中にたくさんの道が開けてくる。でもあまり遠出はしないこと。また、ディテールにこだわりすぎて方向を見失わないように。自分の世界に浸りきってばかりだと、曖昧模糊《もこ》とした文章ができあがってしまう。ハエについて物知りになっても、自分の居場所――レストラン、外は雨、向かいには友達がすわっている――を忘れてしまったら元も子もない。ハエもたしかにたいせつだが、それも程度問題だ。ハエを無視しろとは言わないが、ハエに執着することもない。『ユダヤ系アメリカ人作家集』の序文でアーヴィング・ハウは、感傷的になりそうでならないのが最高の芸術だと言っている。ハエに気づくのはよい。望むなら愛したってかまわない。でも結婚まではしないように。

作品は愛情を得る手段ではない

五年前、友人がマンハッタンのローアーイーストサイドで暴漢に襲われた。そのとき彼女は両手を上にあげて、すぐさまこう叫んだそうだ。「殺さないで。私は作家なのよ！」この話を聞いたとき、私はずいぶん妙な反応だなと思った。「作家だと言えば生かしてもらえると、どうして思ったのかしら？」

物書きはよく混同する。書くことが生きていることの口実になると考えるのだ。生きるのに条件はいらず、人生と作品は別のものであるのに、物書きはそのことを忘れてしまう。また、承認や注目や愛情を得る手段として自分の作品を利用することもよくある。「私の書いたものを見てちょうだい。私がどんなにいい人かわかるから」。その人がいい人であるとしたら、それは作品を書く前からそうであるはずだ。

何年か前、私は自分の作品を朗読するたびに、まわりがどれほど気に入ってくれようと、きまって寂《さび》しく惨めな気持ちになった。私はそれを作品のせいにした。もちろん作品そのものに問題があったわけではない。私は当時離婚したばかりで、自分に自信をなくしていたのだ。心の支えが必要だったのは、私の詩ではなく、私自身のほうだった。私はこの二つを混同していた。自分と詩が別のものであることを忘れていた。私の詩は健康だったが、私自身はそうでなかった。治療を必要としていたのは私のほうだったのだ。これに気づいて以来、私は必ず友達を朗読会に招待し、「デートの相手」になってもらうことにした。私は彼にこう言った。「私が作品を読み終えたらすぐに私のところに駆け寄って、私を抱きしめて、きれいだとか最高だとか言ってちょうだい。今晩の朗読が大失敗でもかまわないの。とにかく最高だと言って」。その日の出来具合は一週間後にじっくり見なおせばよい。とにかく今晩だけは「最高だと言ってちょうだい」。

　物書きである私たちは、つねに心の支えを必要としている。それならまず、自分自身がすでに一瞬一瞬支えられていることに気づくべきだ。たとえば私たちの足は大地に支えられ、肺には絶えず空気が出入りしている。心の支えがほしいときには、そこから出発しよう。窓から日光と朝の静けさが入ってくる。そこが出発点だ。それから友達のほうへ顔を向け、「あなたの作品が大好き」と言われるときのあのいい気分を味わおう。床や椅子がしっかり自分を支えてくれるのを信じるように、友達の言葉を信じるのだ。

　ある生徒が、目を通してほしいと短編小説を二つ送ってよこした。次の週、彼女と私は一時間話し合った。彼女とは一年半ぶりだったが、そのあいだの上達ぶりに私は感心した。私は「どちらの作品も完璧で、心に響いて、とてもきれいよ」と言った。話しはじめて二十分くらいたったとき、私は彼女が不機嫌になっているのに気づいた。「ちょっとほめすぎのように思うんですが」と彼女は言った。彼女がほんとうに言いたかったのはこんなことだろう。「先生、もっとまじめにやってくださいよ。時間をかけて作品を滅多切りにしてくれなくちゃ。お世辞を聞きに来たんじゃないんですから。この作品がそんなにいいはずがないでしょう。大袈裟《おおげさ》すぎますよ」。私はこう言った。「私の言葉を信じなさい。これは傑作よ。そのまま出版できるわ」。私は彼女に作品を出版社に送るよう勧めた。ひと月もしないうちに、一篇が有名な雑誌に掲載されることになった。彼女はお金ばかりでなく、素晴らしいコメントまでもらった。この雑誌はこのところ短編小説の掲載をやめていたのだが、「この作品があまりに素晴らしいので、方針を変えました」というのだ。

私たちは心のこもった支援と勇気づけを必要としている。ただ、それがほんとうに与えられると、どうも信じられない。逆に、批判はすぐに受けとめ、心の奥に抱いている、「自分は力不足で、ほんとうの物書きなんかじゃない」という確信を強めるのだ。私の前夫はよくこう言った。「君ってブスだな。……さて、これで君の注意を引けたかな」。彼によると、私はいくらほめてもちっとも耳を貸さず、否定的なことを言われると、たちまち反応するのだそうだ。

　生徒たちの作品をほめると、こんな言葉が返ってくる。「でも、やっぱり先生という立場上、ほめなきゃいけないんですよね」。友達の作品をほめた場合はこうだ。「でも、やっぱりそれは友達の意見ね。だって、あなたはもともと私のことが好きなんだもの」。ストップ！　人がせっかくほめているのに、そんな言い方はしてほしくない。ほめ言葉を聞くことがつらかったり、なじめなかったりしても、ゆったりした呼吸を続けながら、耳を傾け、受け入れよう。それがどんなにいい気持ちかを感じよう。真心のこもった建設的な支援を受け入れられるようになろう。

心の奥にある夢

日曜の夜のクラスには、文章修行を始めて三年という生徒が多い。そのクラスで私は言った。「あなたたちは書くことをなにに役立てたいのかしら？　みんな創造的な声を持っているし、創造者と編集者の区別もしっかりできている。最終的にはそれをどうしたいの？」

学びとった力をひとつの形にまとめ、一定の方向に向けなければならないときがある。私は生徒たちに言った。「自分の心の奥にある夢はなんだろう？　それについて五分間書いてみて」。多くの人は、心の奥にある夢を知らなかったり、気づかなかったり、避けたりしている。そんな夢について五分か十分書くと、ふだんは意識されずに心の中を漂っているさまざまな思いに触れざるをえなくなる。こうすることで、意識の周縁部にある願望を思考を介さずに書くことができるのだ。

書いたものを読み返し、自分の夢や願望をまじめに考えはじめよう。自分がなにをしたいのか曖昧な場合や、ほんとうにわからない場合には、まず方向が定まるよう、自分の道が現れてくるよう願うことだ。

去年イスラエルを訪れたとき、私はエルサレムの街を歩きながら、詩以外になにを書くべきか迷っていた。ちょうど「声の限りに」（*Top of My Lungs*）という詩の第二稿をまとめていたときだった。なにか別のもの、新しい様式が自分に必要なのはわかっていた。そのころツイン・シティーズ（双子の街。ミシシッピ川をはさんで向かい合っているミネソタ州のセント・ポールとミネアポリスのこと）の詩人の多くが小説を書いていた。ジュディス・ゲスト（ミネソタ州エディナ在住）の処女小説『アメリカのありふれた朝』（*Ordinary People*）の成功がみんなを刺激したのだ。私は自分にこう問いつづけた。「ナタリー、あなたも小説が書きたいの？」　答えははっきり「ノー」だった。この否定——自分がしたくないことを理解していること——にはある種の快感が伴った。でも私は心配だった。自分の最期が目に浮かんできた。最後に書いた二、三篇の詩を握りしめて、どぶに横たわっている姿。そして、誰かこの詩を読んでちょうだい、と哀願しながら息を引き取る。

「ニューヨーカー」誌に面白いマンガが出ていた。男が飛行機の乗客の前でライフルとノートを持って立っている。男は言う。「いいか、じっとすわっていろ。誰にも危害は加えない。ただ俺の書いた詩を聞いてほしいんだ」。娯楽としての詩は、アメリカではずっと日陰の存在だった。

この本を書くきっかけは、詩人である友人（現在はミステリーを執筆中）に勧められたことだった。思い起こせば、この本を書きはじめたのは五年も前のことだった。ただ当時はまだ機が熟していなかった。でも、こだわりと同様、夢も必ず戻ってくる。それなら夢に注目し、その実現をめざそうではないか。それもまた人生に深く入っていく方法のひとつだ。そうでもしなければ、私たちは夢を抱えて永遠に漂いつづけるままになるかもしれない。

自分自身の声を信頼できるようになり、あの内なる創造力の出現を認めるなら、あなたはその力を小説や詩の執筆、推敲《すいこう》などに利用できるようになるだろう。物書きとしての夢をかなえるための基本的道具は、あなたの中にすでにそなわっているのだ。でも注意してほしい。心の奥の夢を書きはじめると、チベットに行きたい、アメリカ初の女性大統領になりたい、ニューメキシコにソーラースタジオを建てたい、といった他の夢も出てきて、言葉として明確な形を与えられてしまう。そうなると、放ってはおけなくなりますよ。

文法を超えて

次のことを試してほしい。自分が書いた文章の中でいちばんつまらないものを選び、そこから数行を抜き出し、なにも書いていない紙の上部に書き写す。

私は書くことができない。なぜなら私はアイスキューブだし、口が乾いてきて、言うことがなにもないからだ。むしろアイスクリームでも食べるほうがいい。

さてここで、この文を構成する単語〔日本語の場合、文節を単位にしたほうがいいだろう〕を、色も大きさも同じ積み木であると考えよう。名詞、動詞、副詞、接続詞……のすべてを等価であると考えよう。どの語〔文節〕も平等だ。次に、同じページの三分の一ほどに、積み木の位置を変えるように、前の文章の単語〔文節〕をでたらめに並べ替えてみる。意味のある文をつくろうとしないこと。あなたの頭脳はなんとしても意味のある文章を生み出そうとするだろうが、その衝動を抑え、リラックスして無心に単語〔文節〕を書いていくこと。ページの三分の一を埋めつくすには、同じ単語〔文節〕を繰り返し使う必要があるかもしれない。

むしろ　乾いてきて　アイスクリームでも　できない　口が　なにも　私は　食べる
書くことが　なぜなら　アイスキューブだし　むしろ　できない　いい　言うことが
私は　アイスクリーム　なにもないからだ　乾いてきて　なぜなら　口が　できない

こんどは、前の文章に好きなように句読点や疑問符、感嘆符などをつけ加える。頭を使わずに、でたらめにやろう。楽しければいいのだ。

むしろ乾いてきて、アイスクリームでも？　できない口が。なにも私は食べる！　書くことがなぜならアイスキューブだし、むしろできない。いい？　言うことが私はアイスクリーム？　なにもないからだ！　乾いてきて……なぜなら口ができない。

なにかを意味しているつもりになって、この文を声に出して読もう。声には抑揚《よくよう》をつけ、感情を出すこと。感情移入の助けになるように、怒った声、元気いっぱいの声、悲しい声、泣き言を言っているような声、イライラした声、なにかを要求するような声などを使うのもいい。

さてこれでなにがわかっただろう？　英語はたいてい主語 - 述語 - 目的語からなる構文に閉じ込められている。文には「目的語」に働きかける「主語」がある。たとえばI see the dog.（私 - 見る - 犬）はこの構文にあてはまり、「私」は宇宙の中心だ。この言語構造では「私」が「犬」を見ているとき、「犬」も同時に「私」を見ているということが忘れられがちだ。面白いことに、同じ意味を表すのに日本語では「私は犬を見る」（I dog seeing）となり、目的語に働きかける主語の行為というよりは、二者間のやりとりが感じられる。

私たちは文単位でものを考え、その考え方がものの見方にもなっている。主語 - 述語 - 直接目的語の構造でものごとを考えるなら、それが世界の見方にもなるのだ。こういった構文の殻を叩き割ることで、私たちはエネルギーを放出し、世界を別のアングルから新しい目で見られるようになる。人間至上主義の放棄。地球では人間以外の生き物も重要だ。アリにはアリの街があり、犬には犬の生活があり、猫は昼寝のリハーサルにいそしみ、植物も呼吸し、樹木は人間よりずっと長生きする。犬や猫やハエを主語にした文があったっていい。たとえばThe dog sees the cat.（犬が猫を見る）。それでも英語の構造につきものの、自己中心的、利己的パターンは変わらない。つねに主人《マスター》でいなくてはならないのは大変な重荷だ。私たちは世界を支配しているわけではない。そう思うのは幻想であり、英語の構文がその幻想を長らえさせているのだ。

片桐老師はよくこう言っていた。「一切衆生《いっさいしゅじょう》（sentient beings）にやさしい思いやりを持ちなさい」。私は師にたずねたことがある。「いったい〝衆生〟ってなんですか？　なにかを感じることのできる（sentient）もののことですか？」すると師は、椅子や空気や紙や道路にも思いやりを持つべきだと言った。私たちの心はそこまで大きく、受容的になる必要があるということだ。釈迦《しゃか》は菩提樹《ぼだいじゅ》の下で悟りを開いたとき、「私はすべてのものとともに悟った」と言った。「私は悟ったけれど、君たちはまだだ」とか、自分と悟りとが分離したものであるかのように「私は悟りを理解した」と言ったのではない。

そうはいっても、足下に踏みつけているじゅうたんを怒らせないように、あるいはあやまってガラスのコップにショックを与えないように、今日からコチコチに緊張しなくてはいけないということじゃない。構文法はまちがっているので使うなと言っているのでもない。この練習を一回でもすれば、いずれはふつうの文章に戻るとしても、あなたのどこかに隙間ができ、その隙間をエネルギーの風が通るようになるだろう。「私はアーティチョークを食べる」という文はまともだし、人はこの文章を書いたあなたを正常だと思うだろう。しかしあなたはもうこの構文の背景を知っている。もしあなたがアーティチョークをガーリックバターに浸し、アーティチョークにあなたの舌を味わわせてやるなら、アーティチョークはあなたを食べ、あなたを永久に変えてしまうかもしれない。構文はあなたが動き、見つめ、書く場である。構文についての自覚が深まれば深まるほど、コントロールしやすくなり、必要なときにそこから出ることも容易になる。実際、構文をこじ開けることによって、自分が言わんとすることの核心に迫れる場合は多い。

以下に『叫べ、拍手せよ』(*Shout, Applaud*)という詩集から何篇か示そう。これらの詩は、〝ノルハーヴェン〟という施設に住む知的障害の女性たちが書いたものだ[5]。英語の構文法をきちんと教わっていない彼女たちの詩は、文法にとらわれないと、どんなものが創造できるかのよいお手本と言える。別の意味で新鮮なのは、彼女たちの詩が驚きで満ちていることだ。いつも朝ごはんを食べているからといって、今朝の目玉焼きが驚きでないなんてことはないのだ。

私に白をください

マリオン・ピンスキー

私は白が大好き
書くために
私の名前を書くために。
どうかマリオン
ピンスキーに白をください。
私は白することが好き
私の名前を書くために、私にはできた。
私は正しい綴りを知っている
私は書くための白がほしい
私の名前を。
私は名前を書くのが好き。
白をください、いますぐ。
私はていねいに頼んだ。
私は白が大好き、ほんとうに。
書くために、書くために
私の名前を、そうよ。

私には自分のお金がある、ほんとうに。
試してみようとしている。

カエデの葉

ベティー・フリーマン

こんな夢を見る。女の人が若くなろうとして
きれいな真っ赤なクリスマスの玉に入る。
彼女のドレスは白鳥のように美しい。
白鳥は薄い白い羽で浮かぶ。
そのやわらかい雪の頭が
下に浮いて、また雪になる。
それで私はそんな女性になりたい
長い翼を持つ人に。

石と私

ベヴァリー・オープス

私のテーブルには石がのってる。
石の上には水の入ったグラス。
水は汚れで真っ黒。
汚れは乾燥してほこりっぽい。
私はキャベツを食事に呼ぶ。
キャベツはとても喜んでる。
キャベツは岩が大好き
動かないから。

みんな

シャーリー・ニールソン

私が着ていたのは青い
コート。それはキャベツとウインナだった
それは料理された大きなウインナ
匂いはキャベツ
ああ、外にキャベツのおいしそうな匂い

夏の雑音じゃなくて
どこかの台所で流れる水。

神経質にワインをすする

数年前、作家のラッセル・エドソンがミネソタ大学で朗読会を行なった。彼はタイプライターの前にすわって、短編を一度に十篇ほど書くそうだ。書きあげると席を離れ、しばらくしてから書いたものを読みなおす。十のうちひとつくらいはいいものがあり、それをキープしておく。いい書き出しが見つかったときは、たいてい作品の出来もいいという。彼の書き出しのいくつかを見てみよう[6]。


「飛行機に好かれたいと思っている男がいる」

「一匹のネズミが老女の膣《ちつ》にしっぽを差し込みたがっていた……」

「もし科学者が馬くらい大きなハトを養殖できたなら……」

「ペットのアヒルがまちがって料理される」

「男はエクレアと関係を持っていた。彼は母親がなにかを壊している物音を聞き、壊されているのは父親にちがいないと思った」
「ある夫婦は自分の子供たちがニセモノであることを発見する」
「一卵性双生児の老人が代わり替わりに生きる」

以下は完成した短編の例だ。

炒めもの

男は自分の帽子を炒めながら、母がどのように父の帽子を炒め、祖母がどのように祖父の帽子を炒めたかに思いをはせた。

ワインとニンニクを加えても、帽子の味とは思えない。どちらかというと下着の味だ。

男は自分の帽子を炒めながら、母がどのように父の帽子を炒め、祖母がどのように祖父の帽子を炒めたかに思いをはせ、なんとか結婚して、自分のために帽子を炒めてくれる人がほしいと思った。ものを炒めるのはとても寂しいことだから……。

心からの遺憾の意をこめて

白いナメクジのように、トイレは居間に這《は》っていき、愛してくれと迫った。それは無理だ。私たちは心から遺憾の意を表さずをえない。心臓の本は配管作業に一切ふれていない。私たちはあなたと何度も親密なときを過ごしたが、あなたには芳《かんば》しくない評判が立っており、それを快く受け入れることができない。トイレは白いなめくじのように居間から這い出ていき、悲しみで頰《ほお》を紅潮《フラッシュ》させる……。〔「トイレの水を流す」という意味のフラッシュにかけている〕

朗読のあとはいつものように、ワインとチーズを囲んでの歓迎会が殺伐とした大教室で開かれた。部屋の向こう側にスーツを着たラッセル・エドソンがひとりぽつんとすわっていたのを、私はよく覚えている。学生、教師、詩人はみな部屋の反対側のクラッカーとオレンジ色のスライスチーズのまわりに群がり、神経質にワインをすすりながら彼の作品について話していた。彼自身に直接話しかける人はほとんどいなかった。朗読のときにはみんな笑えたのに、自分たちの中の赤裸々な真実を彼に見抜かれ、居心地が悪かったのだ。

机に向かって、ラッセル・エドソン風の話をあまり考えずに書きはじめてみよう。すべてから自由になって、庭のニレの木を自分から立ち上がらせ、アイオワ州まで歩かせるのはどうだろう。感じのいい、力強い書き出しを探そう。書き出しの前半を新聞記事から借用し、後半は料理の本の材料リストから選んで仕上げるのはどうだろう。いろいろ遊んでみよう。不条理の世界に飛び込んで書くのだ。危険を冒《おか》すこと。失敗を恐れなければ必ずうまくいくはずだ。

語るより見せろ

文章についての古くからの格言に、「語るより見せろ」というものがある。これは実際なにを意味するのだろう? それはたとえば、怒り(あるいは誠意、真実、憎しみ、愛、悲しみ、人生、正義といった深刻な言葉)について語るのではなく、自分を怒らせたものを具体的に示せということだ。具体的に示されていれば、読む人にも怒りが伝わってくる。読者になにを感じるべきか命令してはいけない。自分を怒らせた状況を示すなら、同じ感情が読者の中に湧きあがってくるはずだ。

ものを書くことは心理学ではない。作家は感情について語らない。そのかわり、自分で感じたことを、言葉をとおして読者の中によみがえらせる。作家は読者の手を引いて、悲しみと喜びの峡谷を、それに直接言及することなく案内するのだ。

誰かの出産に立ち会ったなら、あなたは涙ぐんだり歌ったりしている自分に気づくかもしれない。自分がそこで見たことを描写しよう——母親になった人の表情、赤ちゃんが苦労してやっとこの世界に飛び出てくるときのエネルギー、ご主人が奥さんの額《ひたい》に濡れタオルをあてて一緒に呼吸しているようす……。わざわざ生命の本質について議論しなくても、その描写を読んだ人は生命のなんたるかを理解することだろう。

ものを書く際には、自分の感覚や書いている対象との直接的なつながりを保つことがたいせつだ。あなたが第一の思考にもとづいて書いているなら――すなわち、なにかに触れて最初に心にひらめいたことを、第二、第三の思考がしゃしゃり出て、意見したり、非難したり、評価する前に書いているなら――心配する必要はない。第一の思考とは経験自体が心に映ったものであり、人間が言葉によって日没や出産やヘアピンやクロッカスに近づける限界なのだ。つねに第一の思考と一緒にいることはできないが、それがなんであるかは知っておいたほうがいい。それを知っていれば、エゴを脇にどけて言葉を鏡のように使う方法がわかるからだ。

人の作品を読んでいて「について」という言葉が出てくると、私はただちに用心しはじめる。「これは人生についての話である」と前置きせずに、単刀直入に人生を描こう。もっとも、ノートに作文練習をしているときは、「祖母について書きたい」「これは成功についての物語だ」といった大まかな表現をする場合もあるだろう。それはかまわない。そんなことで自分を責めるのはやめよう。批判的になって創造者と編集者を混同してしまわないこと。気にせずに大まかに書き、そのことを意識していればいい。それから深いレベルに降りていき、物語の中に入り込んで読者をそこに導くのだ。

　ときには抽象的一般論がぴったりくる場合もある。しかし、そんなときでも具体的なイメージで裏づけることを忘れないように。エッセイや論文だってこの方法でもっと生きいきしたものになる。ああ、カントやデカルトがこの方法で書いてさえいてくれたら！「我思う、ゆえに我あり」のあとに、「私は風船ガムや競馬やバーベキューや株式市場について考える、ゆえに私は自分が二十世紀のアメリカにいることがわかる」と書いてあればなあ。カントの『プロレゴメナ』を取り上げて、彼の言わんとしていることを具体的に示してみよう。そのほうがずっと読みやすくなるにちがいない。

　何年か前、私は人から聞いた話を文章にした。それを読んだ友達はみな、つまらない話だと言った。私はその物語が気に入っていたので、みんなの反応が理解できなかった。いま思えば、私は人から聞いた話について書いていたのだ。それは受け売りだった。私は物語の中に入りこんで友達になろうとはしなかった。私自身が外にいたのだから、他の人を中に引き込めないのは当然だ。自分が実際に経験していないことを書くべからずと言っているのではない。そうする場合には、それに生命を吹き込むことを忘れないこと。さもないと、その話はオリジナルから二倍引き離されることになり、あなたの存在はそこから消えてしまうだろう。

具体的に

具体的に書こう。ただ「果物」と言うだけではなく、「それはザクロだ」と言うように、どんな種類の果物かを言うこと。どんなものにもその名にふさわしい威厳を与えよう。人間を相手にする場合だって、「おい、そこの女の子、ちゃんと並んで」と言うのは失礼だ。その「女の子」にもちゃんと名前がある（実際、もしその女性が二十歳になっているなら、彼女はれっきとした成人女性であって、「女の子」などではない）。物にもまた名前がある。ただ「窓辺の花」と言うより、「窓辺のゼラニウム」と言ったほうがずっといい。「ゼラニウム」というひと言が、読者の心により具体的なイメージを与えてくれる。そのひと言は、花の存在の奥深くまで浸透する。赤い花びら、陽光に向かって伸びる丸い緑の葉……窓辺の光景がたちまち目の前に浮かんでくる。

十年ほど前、私はまわりの木や花の名前を覚えることにした。植物図鑑を買い、それを手にボールダー〔コロラド州の町〕の並木道を歩いた。木の肌や葉や種を細かく観察して、本に出ている解説や名前と照らし合わせようとした。カエデ、ニレ、ナラ、ニセアカシア……。でも私はたいてい手を抜いて、庭で働いている人にそこに生えている植物の名を聞いていた。驚いたことに、人々の多くは自分たちの小さな土地に同居している生物の名を知らなかった。

物の名がわかると、私たちは現実にもっと近づくことができる。頭の中のもやが消え、大地と結びつくことができるのだ。通りを歩いていてハナミズキやレンギョウを見つけると、私はまわりの自然とより親しくなれた気がする。まわりにあるものに気づき、その名がちゃんと言える。このことは、私をしっかり目覚めさせてくれる。

ウィリアム・カルロス・ウィリアムズの詩を読むと、彼が草木や花にどれだけ通じていたかがわかる。チコリー、ヒナギク、ニセアカシア、ポプラ、マルメロ、サクラソウ、ブラックアイド・スーザン、ライラック……それぞれが完全だ。ウィリアムズは「自分の鼻先にあるものについて書け」と言っている。なにが鼻先にあるのか知ることはたいせつだ。ただ「ヒナギク」と言うだけではなく、こうして私たちが見ているいまの季節、その花がどんな状態なのかを描写すること。「ヒナギクが大地を抱いている／八月……葉の端が茶色になった／緑色のとがったさやが／黄色を鎧《よろい》で守っている」(7)。いつも感覚を研《と》ぎ澄ましていよう。名前に対して、月日に対して、そして最後には一瞬一瞬に対して……。

ウィリアムズはまた、「概念をそのまま書くのではなく、具体的なものとして表さなければだめだ」とも言っている。「自分の鼻先にある」ものをよく観察しよう。「花」と言うかわりに「ゼラニウム」と言うことで、あなたは現在の中に、自分がここにいるという事実の中に深く入り込んでいく。鼻先にあるものに近づけば近づくほど、すべてのことをより多く学ぶことができる。「一粒の砂の中に世界を、野の花の中に天国を見る……」[8]。

創作グループやクラスでは、メンバー全員の名前をできるだけ早く覚えたほうがいい。仲間意識が強まるし、ひとりひとりの作品により注意深くなれるからだ。

鳥、チーズ、トラクター、車、建物……どんなものでも名前を覚えよう。物書きは同時になんにでもなれる。建築家、フランス料理のシェフ、お百姓さん……それでいながら、そのいずれでもない。

大きな集中力

さて、なにか具体的なことを取り上げて書いてみよう。たとえば、杉の木から初めてスプーンを削り出したときのこと。読者にその一から十までを知らせよう。その経験の中に深く入り込みながらも、近視眼的にならないように。書くことに意識を集中させながらも、空の色や遠くの芝刈機の音を心のどこかで意識していよう。一行でもいいから、スプーンを削っているときに窓から見えた外のようすを文章に入れてみること。これはよい練習になる。

宇宙は私たちとともに動き、なにをしていようと私たちの背後に存在する。このことを忘れてはいけない。それがわかるような一行を文章に入れれば、目の前の仕事に集中しなくてはいけない場合でも、息づく全世界のことを忘れてはならない、ということを読者に思い出させることができる。空の色を絶妙のタイミングで入れれば、作品自体にももっと余裕が出てくる。

禅寺などで瞑想するときには、四十分ごとの坐禅の中休みに、経行《きんひん》——歩きながらの瞑想——が行なわれる。まず立った姿勢でゆっくりと、吐く息に合わせて一歩踏み出す用意をする。両膝が軽く曲がり、かかとが床を離れるのが感じられる。亀の歩みのようにゆっくりと行なう。こんどは吸う息に合わせて、実際に足の親指のつけ根や他の指を持ちあげ、三センチくらい前に進む。もう一方の足で同じことを繰り返す。経行は十分間くらい続く。ここまで速度を落とすことによって、あなたは自分の歩みの一歩一歩がまわりから隔絶されたものではないことに気づく。一歩踏み出すごとに、あなたは空気や窓や、瞑想しているまわりの人たちを肌で感じる。床や空や私たちを生かしている水がなかったら、この一歩もないということに、あなたは気づく。すべてのものはつながり、影響を及ぼし合っている。季節でさえも、私たちが踏む一歩を支えてくれている。

書くことに集中しているなら、それはけっこうだが、ただし集中はつねに、世界を閉め出すことによってではなく、世界の存在をすべて許すことによって行なわなければいけない。それは非常に微妙なバランスを要することだ。

平凡と非凡

この週末、私はアビクィウでキャンプをした。まわりは夢のようなピンク色の崖《がけ》と、草木のまったくない丘。ジョージア・オキーフが移り住んだ場所だ。その前の週末には、スネークダンスを見に、アリゾナ州のホピ・インディアンの土地を訪ねた。ファースト・メサとセカンド・メサ〔ホピの村のある切り立った岩丘〕のてっぺんから見渡す風景は、まったく月面そのものだった。スネークダンスは雨乞いの踊りだ。まず、いろいろな種類の蛇《へび》――頭の大きいのや、青いのや、ガラガラ蛇――を集め、踊りの行なわれる四日前からメディシンマン〔呪医〕がそれらと昼夜をともにする。踊りのあいだ、村の男たちは蛇を歯にくわえてリズミカルに前進後退を繰り返した。踊りが終わると、男たちは蛇と一緒にメサの長い崖っ縁を駆け下り、蛇をつかまえた方角に逃がしてやった。

私は感動して何度も目を見張った。「この途方もない広がりと神話的な儀式を、いったいどうやって書き表したらいいのだろう」。同行していた友達がこう言った。「この大きな空間や丘、メサや空を見てごらんよ。ここでは神の存在が感じられる。この出来事をとらえるには、自分自身が経験したディテールを使えばいいんだよ」。

どうでもいいような些細《ささい》なことを取り上げること、たとえばアリやヘアピンについて書くことがディテールなのだと私たちは誤解している。ディテールとはちっぽけなことであり、宇宙的な心とかニューメキシコの巨大な丘などはディテールではないと思っている。けれども、それはまちがいだ。どんなに壮大なもの、素晴らしいものも、そうであると同時にあたりまえのものでもある。日常的でありふれたことがディテールだと私たちは考えている。しかし、奇跡だってありふれた出来事であり、その素晴らしさは覚醒した心を持った人によって初めてとらえられるのだ。

書くことの基本には、対象をただ物質としてとらえるのではなく、彼岸——すなわち万物の背後にある広大な空漠《エンプティネス》——に至るためにディテールを使うこともある。この土地にずっと住んできたホピ・インディアンにとって、村のまわりの広大な広がりは、ごくあたりまえのものだった。なぜなら、彼らは毎日、巨大なメサを目にしていたからだ。残念なことに、現在、若者たちの多くは村を離れてもっとエキサイティングな都会へ行きたがっている。

自分独自のディテールは、そこに並はずれたものを見てとれる人以外にとっては、きわめてあたりまえのものだ。ホピ族の住むメサまで行かなければ偉大なものが見られない、というわけではない。必要なのは、すでに身のまわりにあるものをちがった目で見ることだ。ホピ族にとってスネークダンスは非常に深遠なものだが、それはまた、一年おきに一生続けられていくお祭りのひとつにすぎない。他の踊りのときもそうだが、儀式がすむと彼らは仲間を家に招いて夕食をともにする。彼らの生き方や祭礼は素晴らしく、それにひきかえ自分たちのものは平凡だと思うなら、私たちは貧しい心でものを書くことになる。忘れないでほしい――あらゆるものは平凡であると同時に非凡なのだ。それは、私たちの心が開いているか閉じているかにかかっている。ディテール自体は別にいいものでも悪いものでもない。ディテールはディテールにすぎないのだから。ちなみにファースト・メサに行くには、ハイウェイ二六四号をウィンドーロックから西に一時間半進めばいい。

スネークダンスはディテールの連続から成り、どの部分も非常な集中力をもって演じられていた。それも当然だろう。なにしろ蛇を口の中に入れるのだから。私たち見学者にとってスネークダンスが深遠で素晴らしいものに思われたのは、それがいままで見たこともない異質なものだったからだ。しかしそれはまた、何百年も行なわれてきたごくあたりまえのことでもある。この踊りについて書こうとするなら、そのエッセンスに触れ、よく知らなければならない。そうしてこそ、その平凡さと非凡さが目の前で同時に光ってくるのだ。書く対象の中に深く入り込み、それが万物と関わり合っていることを理解しよう。そうすれば、そのディテールはおのずから宇宙に浸透していくだろう。そのとき、ディテールと宇宙は交換可能なものになる。

私の友達が最近バイクで事故にあった。前の晩一睡もしないで、朝早くマサチューセッツへの長旅に出たのだ。時速一四〇キロ近く出していたとき、うとうとして車に衝突した。バイクはメチャメチャだったが、彼は幸いにもかすり傷ひとつ負わなかった。

この知らせを聞いて私は身震いした。彼がこのとき死んでしまっていたら、私の人生は変わっていただろう。私たちは織物の糸のように互いに織り合わさり、それぞれの宇宙を作り合っている。誰かが死ねば、その影響はすべての人に及ぶ。私たちは自分だけのために生きているのではない。私たちは互いにつながっている。地球も、テキサスも、私たちの夕食のために生命を捧げてくれた鶏も、お母さんも、高速道路や天井や木も、すべて私たちの生きる目的である。私たちには自分をたいせつにする責任がある。なぜなら、それがまた、地球をたいせつにすることになるからだ。

こうした理解に立ったうえで、私たちは書くことに臨むべきだ。そうすればディテールを個々の物質的対象としてだけでなく、万物の反映として扱えるようになる。片桐老師は「一杯のお茶を飲むことは深遠な体験だ」と言った。コップやメサや空やヘアピンについて書くときは、それらにじゅうぶん注意を払い、その内奥まで入り込まなければいけない。そのとき、私たちは自分がすべてのものとつながっていることに気づき、詩の世界でいわれる「飛躍」が自然とできるようになるだろう。また、国語の時間に教わった「接続詞《トランジション》」〔話題の異なる文章をつなげるときに用いる言葉〕など気にせず、段落から段落へとスムーズに文章を書くことができるようになるだろう。そんなことはおのずからできるようになる。なぜなら、そのとき私たちは、全体的な大きな動きに触れているからだ。

話すことは練習場

仲のよい友達と集まって話し合う会を持とう。アルバカーキで手相を見てもらったときのこと、ニューメキシコ州アロヨ・セコの鶏舎で坐禅をしたときのこと、母が毎朝カテージチーズとトーストを食べるようすなどを話し合おう。

友達に話をするなら、まじめに聞いてもらいたい。そのためには話に彩りをそえる必要がある。ときには誇張したり、罪のない面白い嘘をつけ加える場合もあるだろう。あなたの話すことと、十年前に実際に起こったことがぴったり一致しなくても、友達は気にしやしない。重要なのは現在であり、聞き手を魅了することだ。作家仲間のひとりと昼ごはんを一緒に食べたとき、こう言われた。「先月聞いたゴシップの中でなにがいちばん面白かったか教えて？　思い浮かばなかったらでっちあげてもいいよ」。ニューヨークの短編小説作家グレイス・ペイリーはこう言った。「ゴシップに耳を傾け、それを人に伝えることは作家の務めである。すべての作家はこうして人生を学ぶのだ」。

話をするのはいいことだ。恥ずかしがってはいけない。話すことは書くための練習場なのだ。話すことによって私たちはコミュニケーションを学ぶ。それはなにが人の興味を引き、なにが退屈させるかを知ることだ。私は友達と一緒に笑って言う。「私たちは興味本位でうわさ話をしてるんじゃなくて、人生を理解しようとしてるのよね」。それはほんとうだ。物書きたるもの、善悪の判断や欲や嫉妬《しっと》を込めてではなく、思いやりや不思議さや驚きを込めて話すことを学ぶべきなのだ。

ミネアポリスの中心にある〝ニュー・フレンチ・バー〟で行なわれたコンサートのあと、私は作家仲間に自分がどうして仏教徒になったのかを話していた。彼女が真剣に聞いてくれたせいで、何度も話したこの話が素晴らしい輝きを得た。そのときワイングラスに当たった光や、チョコレートムースの味をいまでも覚えている。この話をぜひ文章にしなければと思った。そこには素晴らしい素材があったからだ。

物書きにとって、話すことは互いに助け合って新しい方向を見つける手段になる。「すごい話じゃない。もう書いてみた？」「『ここに六年も住んでいるけれど、思い出がひとつもない。ひとつもだ』っていうのはいい台詞だよ。そこから詩を書きはじめてごらんよ」。ボストンから家に戻ったとき、私は友達になにげなくこう言った。「彼、彼女に夢中よ」。ミステリー小説を書いている真っ最中だったその友達は喰ってかかってきた。「どうして夢中だってわかるの。彼がどう振る舞ったのか教えてよ」。私は思わず笑ってしまった。物書きを相手に曖昧なものの言い方は許されない。彼らが求めているのはただの話ではなく、具体的に示すことだからだ。

別の友達は、自分の父親の話をしてくれた。この父親は彼女が十二歳のときに家族を棄《す》てて、とつぜん熱心なキリスト教徒になり、その後三つの州の教会でお金を横領したそうだ。彼女自身にとってそれは悲劇だった。「すごい話じゃない」と私は言った。すると彼女の顔がぱっと明るくなった。彼女は気づいたのだ。自分の人生を書く素材と見ることによって、新たな方向に進めることに。

話をすることは、紙とペンを前にひとりで何時間も机に向かう大勝負の前のウォームアップだ。何度も人に話した話をリストアップしよう。書かなければいけないことがたくさんあるはずだ。

書くことは共同作業

生徒のひとりがこんなことを言った。「ヘミングウェイを読みすぎて、文章が彼みたいな調子になってきたんです。ぼくは彼の真似をしているだけで、自分がなくなっているんじゃないかと心配です」。これはさほど悪いことではない。ホールマーク社のグリーティング・カードにアメリカでいちばん素晴らしい詩がのっていると信じているベスーン叔母さんのような口調になるよりは、ヘミングウェイのスタイルのほうがずっとましだ。

誰かの真似をしているのではないか、自分独自のスタイルがないのでは、と私たちはいつも心配する。そんな心配は無用。書くことは共同作業なのだ。物書きは一般に、火の燃えさかる丘でひとり戦うプロメテウスのように思われているが、そうではない。自分だけにオリジナリティがあると考えるのは傲慢《ごうまん》というもの。私たちは、これまでにものを書いてきたすべての人たちの背中におぶさっているのだから。私たちは歴史や、さまざまな思想や、この時代の清涼飲料水とともにいまを生きている。私たちの文章の中には、こういったすべてのものがごちゃまぜになっているのだ。

物書きは恋の達人だ。他の作家にすぐ恋してしまう。実はそれが書くことを学ぶ方法なのだ。物書きはある作家を気に入ると、その人の振る舞い方やものの見方が理解できるようになるまで、全作品を何度も繰り返し読む。恋人になるとはそういうことだ。自分の中から抜け出し、誰かの皮膚の内側に入っていく。人の作品を愛する能力とは、そんな可能性を自分の中に目覚めさせることなのだ。それはあなた自身を大きく広げることはあっても、物真似屋にすることはけっしてない。人の作品の中で自然だと感じられるものは、やがてあなたの一部になり、書くときにその動作のいくつかが使えるようになる。けれども、作為的なのはだめだ。恋の達人は、恋している相手に自分が成り代わっているのに気づく。アレン・ギンズバーグがジャック・ケルアックにわかってもらえるように書こうと努めたのはそのせいだ。「ジャック・ケルアックに恋した彼は、自分がジャック・ケルアックであることに気づいた。愛はそのことを知っている」(9)。『アフリカの緑の丘』（*Green Hills of Africa*）を読むとき、あなたはサファリ旅行に出たアーネスト・ヘミングウェイになる。それから、リージェンシーの女たちを見ているジェーン・オースティンになり、言葉で独自のキュービズムを実践しているガートルード・スタインになり、テキサスのほこりっぽい町の玉突き場に歩いていくラリー・マクマーティンになる。

書くことは、それだけで終わるものではない。それは他の作家たちとの関係を築くことでもある。嫉妬心を燃やすのはやめよう。心に秘めた嫉妬はとりわけたちが悪い。最悪だ。誰かが素晴らしいものを書いたら、それは私たちすべてにとって、世界がいっそう明晰《めいせき》になったということだ。作家たちを自分とは別人種とみなして、「あの人たちはうまいけど、私はへたくそ」などと言わないこと。そういう二分法はよくない。そういう考え方だと、いつまでたっても上手になれない。その逆もまた真なりで、「すごいのは自分だけ」と言っているようなら、その過剰な自尊心のために作家として成長できないだろう。また、自分の作品に対する批判に耳を傾けられなくなる。「あの人たちもうまいし、自分もうまい」という姿勢でいい。このひと言は心に大きな余裕を与えてくれる。「あの人たちは年季が入っている。自分もしばらく同じ道をたどって、そこから学ぶようにしよう」。

世捨て人のようになって、自分の心の中の米粒大の真実を探そうとするよりは、部族作家〔自分の属する共同体を代表する作家〕になって、みんなのためにみんなの声を反映して書くほうがはるかにましだ。大きく成長し、全世界を両腕に抱きかかえて書こう。

自然の中でひとりきりになって書こうとするときでさえ、自分自身およびまわりのすべて――机、木、鳥、水、ペン――などと親しくなくてはいけない。私たちは他の一切から分離した存在ではない。そう思うのはエゴの錯覚だ。私たちは自分が存在する以前の出来事を基盤にものを書いている。それに反発して書こうとしても、過去を否定しようとしても、この事実は避けられない。自分の背後にあるものについての知識をもとに私たちは書いているのだ。

近所でものを書いている人たちと知り合い、ときどき集まって励まし合うこともためになる。自分ひとりを頼りに書きつづけることはとても大変だ。私は生徒たちに、グループの仲間と知り合いになり、作品を見せ合いなさいと勧めている。ノートに書いて積んでおくだけではもったいない。作品を人の目に触れさせよう。また、悩める孤独な芸術家というイメージは捨て去ろう。私たちは人間として、すでになんらかの悩みを抱えているのだから、そのうえさらに悩みをつけ加える必要なんてない。

1＋1＝メルセデス・ベンツ

私はいつも生徒に、特に世の中のことがわかりはじめる小学六年生に向かって、こう言う。「〝一たす一は二〟と決めつける理屈っぽい頭のスイッチを切りなさい。一たす一が四十八になったり、メルセデス・ベンツになったり、アップルパイや青い馬になる可能性に向けて、心を大きく開きなさい。自分のことを書くときは、〝ぼくは六年生です。男です。オワトンナに住んでいます。お母さんとお父さんがいます〟というふうではいけません。自分がほんとうは誰なのかを先生に教えてほしい。〝私は窓に降りた霜だ。若いオオカミの遠吠えだ。刃物のように薄い草の葉だ〟というように」。

自分自身を忘れて、街、コップの水、トウモロコシ畑……目に入るすべてのものの中に入り込んでみよう。なにを感じようと、その感覚そのものになりきり、感覚で自分のすべてを燃やしつくそう。心配ご無用。あなたのエゴはすぐに落ちつかなくなって、このエクスタシーを中断してしまうだろう。けれども、感覚、匂い、風景などをつかまえることができれば、その瞬間あなたはそれらと一体になる。そして、きっと素晴らしい詩が生まれることだろう。

そのあと私たちはまた地上に舞い戻ってくる。素晴らしいヴィジョンのもとに留まるのは、書き残された文章だけだ。だからこそ、人は本——もちろんよい本——に何度も向かわなくてはならない。そして、ほんとうの自分、自分の可能性を示してくれるヴィジョンを何度も読みなおさなければならない。私たちは人間としてこうした経験を経なければならない。それは繰り返し自分自身に慈悲の心を持てるように、また人とやさしく接し合えるようになるために必要なことなのだ。

動物になろう

ものを書いていないときも、あなたは物書きだ。物書きという役割はけっしてあなたから離れない。動物のように歩き、まわりのものすべてを獲物として取り込もう。動物のように五感を働かせるのだ。部屋の中で動くものを見ている猫を観察してみるがいい。石のようにじっとしているが、五感を研ぎ澄ませて獲物を見つめ、耳を澄ませ、匂いを嗅いでいるはずだ。あなたが外を歩くときもこうでなければいけない。猫はお金がいくら入り用か、フィレンツェに行ったら誰に絵葉書を送ろうかなどと考えてはいない。ネズミや床に転がるビー玉や、水晶に反射した光をじっと見つめている。獲物に飛びかかろうと全身で身構えている。あなたが四つん這いになって尻尾を立てる必要はないけど、どんなに忙しくても、自分を――少なくとも自分の一部を――静かな状態に保ち、いまこの瞬間の自分の在りようを自覚していてほしい。

一緒にヨーロッパを旅行した友達は、迷子になることを異常に恐れていた。彼女は地図の見方を知らなかったのだ。目印を覚えておく習慣もなかったため、「きのうこの広場に来たでしょ。通りを渡ればコンサートのチケットを買ったサヴォイ・ホテルがあるから、あそこを曲がればいいのよ」というわけにもいかなかった。彼女はこわがるあまり、コモンセンス――生き延びるための道具として私たちが頼りにしている生来的な感覚――との接触を一切失っていた。コモンセンス――それは自分の中にあって、いつも目覚めてまわりのことに気づいているあの部分のことだ。「いまこの瞬間、あなたは仏陀なのだ」と片桐老師は言った。忙しかったり、私の友達のようにこわがっていたりすると、ついこのことを忘れてしまう。彼女が道に迷うのは、迷子になることを恐れているからなのだ。

物書きである私たちは、世界を歩くとき、自分の中のあの覚醒した部分、道路標識や曲がり角や消火栓やニューススタンドを動物のように知覚するあの感覚と接触を保っていなくてはならない。

なにかを書こうとする前に動物になろう。これはよい準備になる。ゴミを出しに行く途中でも、図書館に向かっているときでも、庭に水を撒《ま》いているときでも、動作をゆっくりさせ、自分が書こうとしている素材、つまり獲物に忍び寄るのだ。五感のすべてを研ぎ澄まそう。論理的思考回路のスイッチを切り、思考を捨て、頭を空っぽにしよう。おなかから言葉を出そう。頭をおなかまで引き降ろし、思考を消化しよう。消化された思考が栄養となって全身に行き渡るようにするのだ。肚《はら》の底まで息を吸い込み、仏様のようにおなかをふくらませよう。その際、おなかに力を入れないこと。呼吸はゆっくりと慎重に。そうして文章を思考レベルから潜在意識に持っていき、血管を通じて身体中に浸透させるのだ。

ついに獲物に飛びかかるとき、たとえば、その日は午前十時から書こうと決めているなら、制限時間という プレッシャーを与えよう。二十分とか一時間とか、とにかく時間を決めて、そのあいだは全力を尽くすようにする。手を休めず、血管からペンを通してすべてを紙の上に流し出そう。休んではいけない。いたずら書きしない。もの思いにふけるのもだめ。身も心も消耗するまで書きつづけること。

うまくできなくても心配ご無用。これが最後のチャンスというわけじゃない。今日ネズミが獲れなければ、あした獲ればいい。人は自分自身から逃れることはできない。文章を書いているとき物書きであるなら、料理をしているときも、寝ているときも、歩いているときも、あなたは物書きだ。あなたが母親でも、絵かきでも、馬でも、キリンでも、大工でも、それを文章に生かすことができる。書くことはあなたについてまわる。自分を自分の一部から切り離すことは不可能なのだ。

ものを書くときは、自分の中のすべてを使って書くべきだ。書き終わったら、自分の中のすべてを持って外に出て、街を歩こう。あなたという存在の中核には善なるもの、すなわちコモンセンスないし仏性がちゃんとあって、迷子にならないよう道の名前を教えてくれるだろう。そして、獲物を探す動物のように街を歩いていても、その善なるもののおかげで、ちゃんと心の中で書くことを意識しつづけ、あしたもまた書くことに戻ってこられるのだ。

意見ははっきり、答えはきちんと

七〇年代の初め、女性と言葉の関係を扱ったある研究が、私自身と私の文章に大きな影響を与えた。それによると、女性はなにかを主張したあと、付加疑問をつける傾向があるという。たとえば「ヴェトナム戦争はひどいですよね」「これ、いいわよね」。女性はつねに自分の感情や意見を強化してくれるような文構造をとる。「これは美しい」「これはひどい」とはっきり言い切って、じっとしていることはない。他の人からの励ましの声が必要なのだ（同じ傾向はマイノリティの人々にも見られるという）。

その研究には女性の話し言葉のもうひとつの特徴として、「たぶん」「もしかすると」「なぜだか」といった曖昧な言葉の多用が挙げられていた。たとえば、「なぜだか、そうなっちゃったの」――この文からは、出来事が自分の理解を超えたところで起こり、無力感を覚えているような印象を受ける。「たぶん、行くわ」――これも「はい、行きます」といった、はっきりした主張ではない。

世界はいつも白黒はっきりしているわけではない。ある場所に行けるかどうか確約できない場合だってある。だが、明確でしっかりした物言いをすることは——とりわけ文章を書きはじめたばかりの人にとっては——たいせつである。「これはいい」「それは青い馬だった」とはっきり言うこと。「えーと、変に聞こえるのはわかっているけど、たぶん青い馬だったように思えるの」ではいけない。はっきり意見を述べることは、自分の心を信頼する練習、自分の考えを支持する練習なのだ。

例の研究について読んだあと、私は家に帰り、書いたばかりの自分の詩を見なおしてみた。そして、曖昧で不明瞭な語句を取り除くことにした。それはシャワーから出たあと、身体を覆っているバスタオルを剝ぎとって素っ裸で立ち、ありのままの自分と、そのとき感じていることをさらけ出すような気分だった。最初はこわかったが、だんだんいい気持ちになった。詩もずっとよくなった。

人生はいつもはっきりしているわけではないが、明快で肯定的な意見によって自己表現するのはいいことだ。「私はこう考え、感じます」「これがこの瞬間の私の姿です」と。これには訓練を要するが、それだけの見返りはじゅうぶんある。

とはいっても、練習のときは、曖昧な言葉を書いてしまってもあまり心配することはない。自分をとがめたり、批判したりしないこと。曖昧な書き方をしたことを自覚してさえいればいい。気にせず書きつづけよう。その部分をカットするのは、あとでもできるのだから。

もうひとつ注意すべきことに、〝疑問〟がある。ある疑問を文章化できるなら、それに答えることもあなたにはできるはずだ。なにかを書いていて疑問が出てくることは、大いにけっこう。ただし、すぐさま自分の中の深いレベルまで降りていき、次の行でその疑問に答えよう。「この人生、どうすべきだろう?」と問うなら「チョコレートケーキを三つ食べる」「大空のことを思い出す」「世界一の作家になる」と答える。「きのうの晩はどうして、変な気持ちになったんだろう?」と問うなら、「夕食にハトを食べたから」「靴を左右逆にはいたから」「不幸だから」と答える。「風はどこから来るのだろう?」「開拓者たちのクロエ河の思い出から来る。ダコタ州まで続いている大地を風は愛しているのだ」。

疑問に答えるのを恐れてはいけない。答えは自分の中に無尽蔵に見つかるだろう。書くことは心のモヤモヤを焼き払う行為だ。モヤモヤを紙の上にまで持ち込んではならない。たとえはっきりしないことでも、ちゃんとわかっているつもりで書こう。こうした練習を続けていくうちに、きっとわかるようになるはずだ。

文中の動き《アクション》

動詞は非常に重要だ。それは文中の動きであり、エネルギーなのだ。自分がどんなふうに動詞を使うか気をつけよう。次の練習をしてほしい。紙を二つに折り、上半分に名詞を十個並べる。どんな名詞でもいい。

ライラック
馬
口髭
猫
バイオリン
筋肉
恐竜

種
プラグ
ビデオ

こんどは紙の下半分に、思いついた職業をひとつ書く。大工、医者、キャビンアテンダント……。そして、その横にその人がする行為の動詞を十五個並べる。

〈コック〉
炒める
焼く
刻む
切る
叩く
熱する
あぶる
蒸す

味見する
茹でる
揚げる
和える
泡立てる
かきまぜる
すくう

これで、紙の上半分に名詞のリスト、下半分に動詞のリストができたことになる。これらの名詞と動詞を使って、どんな面白い組み合わせができるか見てみよう。必要なら動詞を過去形にしてもいい。

ライラック
馬
口髭

〈コック〉
炒める
焼く
刻む

猫
筋肉
バイオリン
恐竜
種
プラグ
ビデオ

恐竜が地球で泡立てた。
バイオリンが音楽を奏でて空気を蒸した。
ライラックが大空を紫に切り刻んだ。

切る
叩く
熱する
あぶる
蒸す
味見する
茹でる
揚げる
和える
泡立てる
かきまぜる
すくう

他の動詞をうまく使った例も挙げてみよう。

彼女の眠りを真っ二つに鋸引く夫のいびき……。
沈んでいく夕方の光がプロパンガスのタンクに延びていく。(10)

彼を見て私は爆発した。(11)

月光のきらめく川へ向かう車に、二人ずつ分乗した人々……。(12)

……天使とグラジオラスにあなたの皮膚の上を歩かせる
大地の中で眠ろうとして(13)

私の血がスズメ蜂の巣のようにブンブン唸る。(14)

新しい動詞を思いつくまで、書く手を休めて一時間考えよ、と言っているわけじゃない。

ただ、自分の使う動詞とその威力を意識し、新鮮な使い方をしてほしいのだ。言語のさまざまな面が見えてくればくるほど、あなたの文章は生きいきしてくるだろう。最終的には、「走る」「見る」「行く」といった単純な言葉が自分の求めていたものだ、という結論に達するかもしれない。それはそれでいい。しかし、そのときそれは、あなたが自覚的に選択したものでなければならない。居眠りしたりいびきをかきながら無自覚に書きつづったものであっては困るのだ。

レストランで書く

私はいまニューメキシコ州サン・クリストバルの車を改造した食堂にいる。ここは人口わずか六十八人の小さな町。この食堂を経営しているスペイン人女性は、その土地を一九四八年に買った。しばらく住んでいたアリゾナから最近戻って店を再開したのだが、水は自分で井戸を掘って確保しろと町役場から言われた。それがすむまで、彼女はここで料理することができなかった。私は二時間ほど書こうと思ってここに来たのだが、注文できるものは限られている。煙草、コーラ、マウンテン・デュー、トムズ・レッド・ツイスト〔赤い縄状のリコリスキャンディー〕、スーパーバブル〔発泡キャンディー〕〔プレーンまたはグレープ、リンゴ味〕、スニッカーズ〔チョコレートバー〕、ファイアー・シックス〔シナモン味のキャンディー〕、アルカセルツァー〔発泡沈痛剤〕、タムズ〔胃薬〕、ラズベリー味かトロピカルパンチ味のクールエイド〔粉ジュース〕、パック入り牛乳、卵。なにかしら注文しなければいけなかった。しばらくねばるつもりだったので、コーラだけでは申し訳ない気がしたのだ。

書く場所として喫茶店を選ぶなら、その店といい関係を結ぶこと。これが最初のルールだ。そこでなにか食べたくなるように、おなかをすかせて行こう。私はおなかがすいてもいないのに、とりあえず食べ物を注文したことがあった。結局、食べ物は脇に押しやられ、ノートが机を占領することになった。私はもう一時間ねばるために、追加でオニオンフライやほうれん草サラダを注文することもある。コーヒーを注文しても、無料のおかわりは遠慮する。場所と時間を提供してくれた店の人たちに感謝の気持ちを伝えたいのだ。テーブルを二、三時間ひとり占めにするなら、チップは多めに置くようにしよう。ウェイトレスの収入を左右するのは客の回転率であり、あなたの席は当然ふつうより回転が遅いのだから。店がいちばん混雑する昼食時や夕食時は避けよう。ラッシュアワーが終わってから行こう。疲れ切っているウェイトレスは、あなたの姿を見てほっとするだろう。あまり注文しないし、急いでもいないからだ。

ずいぶんお金のかかる書き方に思えるかもしれないが、それは最初だけ。一度自己紹介しておけば、すぐに常連になれるだろう。「ああ、いつもの作家さんですね。お仕事は進んでますか？　コーヒーのおかわりサービスしましょうか？」

ミネアポリスに住んでいたとき、友達から電話があった。「カルホーン・スクエアに新しいレストランがオープンしたんだって。あそこで晩ごはん食べて、なにか書こうよ」。書くための環境を選ぶのにも技術がいると気づいたのはこのときだった。この新しいレストランが書くのにまったく向いていないことは、一目瞭然だった。第一におしゃれすぎた。そこは質の高い、独創的な食べ物を出すことに熱心な店だった。お客さんには食べにきてもらいたいのだ。私たちがきれいな麻のテーブルクロスに向かって文学作品を生み出すことなど、店の人は望んでいなかった。

私はふつう、マクドナルドのようなチェーン店は避けて、オリジナリティのあるレストランを選ぶ。チェーン店というやつはどこをとってもおもちゃっぽく、椅子もすわり心地が悪い。人間的な雰囲気をかもし出してくれる場所がいい。なにもかも効率的で、型にはまっていて、毒々しいオレンジ色だったりするんじゃなくて……。

でも、どうしてそこまでするのだろう？　家にいたって書けるじゃない？　私にとってこれは書くための作戦なのだ。ときどき景色を変えるのはいいことだ。家には電話がある、冷蔵庫がある、食器を洗って、シャワーを浴びて、郵便配達に応対して……と雑事がいっぱい。たまにはそういうものから逃げ出そう。それにわざわざ喫茶店まで出ていく努力をしたからには、家にいるときのように、他の用事ができたからといってすぐその場を去るわけにはいかないだろう。

人の心はいたずら者だ。ものを書いていると、それよりずっと楽しそうなことがいくらでも心に浮かんでくる。以前、北ミネソタで丸太小屋を一週間借りたことがあった。二日目、私は短編小説を書くつもりでタイプライターの前にすわっていた。ときは六月の終わり。窓からは庭に植わっているポプラ、ビーツの葉、レタス、ヒャクニチソウなどが見える。真っ青な大空。気がついたら私は水着姿で、小屋から四百メートルほど離れた池に足首をひたしていた。頭から水に飛び込もうとしたとき、私ははっとした。「ナタリー、あんたここでなにしてるの？　短編の三ページ目を書こうとしてすわったばかりじゃない！」　もちろん、ふだんはここまでいく前に気づくのだが……。

いろいろな呼び方ができるが、こうした作戦をとったときに活気づいてくるのは、誰でもあるあの反抗心というやつだ。それはなにに反抗したいのだろうか？　仕事と集中に決まっている。

去年の秋、なにかを書こうとするときまって頭が空っぽになり、恍惚《こうこつ》状態に陥る時期があった。そんなときの私は、窓の外をぼんやり眺め、すべてのものへの愛情と一体感を感じているのだった。所定の時間が終わるまで、そんな状態でただすわっていたこともある。私はこう思った。「すごい！　私は悟りを開きつつあるんだ！　こっちのほうが書くことよりずっと重要だわ。だいたい、書くことはすべてこの状態をめざしているんですもの！」こんな時期がある程度続いて過ぎ去ったあと、片桐老師にこのことについてたずねてみた。彼の答えは「それは怠け心にすぎん。ちゃんと仕事しなさい」。

フローテーション・タンクについて読んだことがある。暗い箱の中で深さ二十五センチほどのぬるま湯に浸《つ》かっていると、感覚的インプットが極度に減るそうだ。感覚的刺激が制限される分、集中力が高まるのだという。

不思議なことに、喫茶店で書くことも集中力の強化に役立つ場合がある。もちろん刺激が減るわけではない。しかし喫茶店の雰囲気がつねにあなたの知覚の一部に働きかけて満足を与え、その結果、創造力や集中力を発揮する心の奥の静かな部分が自由に活動できるようになるのだ。それは赤ちゃんをあやして気をそらし、そのすきにアップルソースをのせたスプーンを口に押し込むのに似ている。モーツァルトが作曲中に奥さんに物語を朗読させたのも同じ理由からだ。

レストランでの刺激をこんなふうに利用することもできる。すなわち、刺激を正面から受けとめ、メリーゴーランドを楽しむのだ。エネルギーの波に乗って書く手を休めず、周囲から得られるディテールを文章に投げ入れ、それを自分自身の思考のひらめきと混ぜあわせよう。外界の興奮は、あなたの内なる感情を刺激し目覚めさせてくれるものとなる。そこには素晴らしいギブ・アンド・テイクがある。

パリに行ったとき、喫茶店の数が多いのには驚いた。パリではお客さんをせかすのは失礼だと考えられている。朝八時に注文したコーヒーを午後三時にすすっていてもぜんぜん平気。ヘミングウェイは『移動祝祭日』(*A Moveable Festa*／これは傑作です。ぜひ読んでください！)の中で、パリの喫茶店で書くことについて、また、ジェイムズ・ジョイスがちょっと離れたテーブルにいる可能性について語っている。去年の六月パリに行ったとき、私はアメリカを離れる作家が多い理由がよくわかった。パリではどのブロックにも喫茶店が五軒はあり、どの店も書きにいらっしゃいとあなたに手招きしている。書くことがあたりまえのこととして受け入れられているのだ。

アメリカ人は書くことに慎重だ。事務的な書類を埋めたり、小切手を切ったりする場合を除いて、書くことはアメリカ人にとって風変わりな行為である。だから、物書きのあなたを放っておいてくれる。もっとも、なかにはひそかに魅了され、あなたのことをちょくちょく覗き込む人もいるだろう。けれども一般的に、書くことはアメリカ人の生活に定着してはいない。そういうアメリカ人の態度を逆利用して、公共の場所で書いてみてもいい。おそらく、ちょっかいを出されることはないだろう。私の経験では、ちょっかいを出されたことはいままでに一度しかない。ネブラスカの喫茶店で書いていたら、やさしい親しみの持てるウェイトレスがそばにやってきて、単刀直入にこう言った。「なに書いてるの？

読ませてもらってもいい？」それが唯一の経験だ。もし旅の途中でなく、急いでいなかったら、私は喜んで彼女を隣にすわらせ、書いたばかりの四十ページを読ませてあげただろう。

そういえば、ミネソタ州ヒル・シティの〝レインボー・カフェ〟でこんなことがあった。昼下がり、私がブースに腰をおろして書いていると、そばで玉突きをしていた十代の少年が大きな声で言った。「ふーん、意外とはやく書けるじゃん」。しばらくしてまた言った。「あしたもここで同じペースで書いていれば、きっと町中の人が見にくるよ」。こんな場合、私はいつも笑顔で愛想よく相手をすることにしている。

行ったことのある喫茶店、レストラン、バーのリストを作ってみよう。そうしたいなら、詳細なものにしてもいい。きっと役立つはずだ。リストは具体的に書こう。

◎テリーズ・カフェ（サウス・ダコタ州）――ここでミネソタの友達に葉書を書いた。「フィル様。いまサウス・ダコタにいます。これからニューメキシコに行く予定です。いまは七月の終わり。サン・クロエのあなたの丸太小屋は気に入りました。私のことを忘れないでください。お別れしたことを許してください。サラダと缶詰の豆とソーダクラッカーを食べているところです」

◎コスタズ・コーヒーショップ（ミネソタ州オワトンナ、ルイス・サリヴァン銀行の向かい）

——オレンジ色のブースと油ギトギトのギリシア風サラダ。

◎スナイダーズ・ドラッグストア——ハムサンドがおいしいとジムが言っていた……。

それからもうひとつ。コインランドリーでも書いてみてほしい。

作家の仕事部屋

書くための部屋がほしいなら、つべこべ言わずに部屋を探そう。おおげさに考える必要はない。雨漏りせず、窓があり、冬はちゃんと暖房のきく部屋が見つかったら、机と椅子と本棚を持ち込んで、さっそく書きはじめればいい。それなのに、壁にはペンキを塗って、壁かけや特別な机を買い、椅子を張り替え、大工さんにクルミの木の本棚を作ってもらい、上等のじゅうたんを敷いて……こんなふうに考える人が多すぎる。「だって私の特別室なんだから」。

こういう部屋もまた、あなたを書く行為から遠ざけることになる。完璧な空間を作っておきながら、どうしてもそこで書く気にならなかった友達を私は何人も見てきた。台所のテーブルで書くほうがずっと落ち着くのだという。書くことによってあらわになる自分の不完全さを、非の打ちどころのない空間で思い知らされるのはつらい。だから私たちは、静かで完璧な空間を用意しておきながら、混沌としたやかましい喫茶店で書きたくなるのだ。夏になると、多くの人は庭をきれいに手入れする。だがその一方で、木が倒れていたり虫がいたりする、自然の無秩序さがむき出しになっている森に行きたいとも思う。開いたままの本、飲みさしのお茶の入ったコップ、散らかった紙、返事をしなければいけない手紙の束、クラッカーの箱、机の下に蹴り込まれた靴、床に転がっている秒針のこわれた時計などは、私たちの仕事部屋のごく自然な一部なのだ。

部屋はそこに住む人の心を表す、と禅の師匠たちは言う。空間を恐れて部屋の隅々までもので埋めつくす人がいるが、それは私たちの心が空しさを恐れるあまり、たえず思考やドラマを生み出しているのと同じだ。ただ、書くための場所について言えば、それはちょっとちがうと思う。ある程度の乱雑さは、心の肥沃さと、活発な創作活動を示すものだ。完璧な仕事部屋を見るたびに私は、その部屋の持ち主は自分の心を恐れており、コントロールしたいという内側の欲求を外の空間に投影しているんだな、と思う。創造性は、そんなこととは正反対のところにある。つまり、コントロールを失うことなのだ。

専用の書斎を持ったり、書き物机などを調えたりしてもかまわないが、その際はインテリアに埋もれてしまわないようくれぐれも注意してほしい。月七十五ドルで借りた最初の仕事部屋のことを思い出す。ある人の家の三階の大きな部屋だった。床はむき出しで、窓が三つあった。誰もいないときでも家に入れてもらえるよう、大家さんの飼っているドーベルマンと仲よしになるのに三日かかった。それでも、住居とは別に専用の仕事部屋を持つことは私にとって非常に重要だった。なぜならそれは、自分の進む道を真剣にとらえることを意味したからだ。その前の年、詩の朗読の練習をするのにテープレコーダーを買ったのだが、そのときは四十六ドルも払ったことを死ぬほど後悔したものだ。電子タイプライターにお金を費やすことなど考えもしなかった。けれども、私自身が成長し、書くことへの決意が固まるにつれ、以前より喜んでお金が使えるようになった。仕事部屋を作ることは、決意が固まってきた証拠なのだ。

でも次の話も聞いてほしい。先週、私はニューメキシコ州タオスでメリデル・ル・スールに会った。彼女は八十歳を越える作家で、小説や短編や詩の本を何冊か出している。現在は住所不定らしい。知り合いを訪問して泊めてもらい、どこでも書くのだという。このときは、お嬢さんのいるカリフォルニアからタオスに来たばかりで、友達のところでしばらく書くつもりだと言っていた。中古の手動タイプライターを三十ドルくらいで売っているところはないかと訊《き》かれた。いつもそうするらしいが、使い終えたタイプライターは処分して次の場所には引きずっていかない。仕事部屋なんてその程度のものなのだ。

エロティシズム――深刻なテーマ

誰にでも、いつかは書かなければと思っている深刻なテーマがある。たとえば〝愛とエロティシズム〟。こうした大きなテーマは、ともすれば哲学的・抽象的になりがちだ。たいていいくどくどしく退屈で、自分の言いたいことが少しも表現できていない場合が多い。「ふーん、エロティシズムねえ。それは性的衝動や行為に関係あることだと思うんだけど……」。書きながらも、自分がほんとうに言いたいことにどうやってたどり着いていいのかわからず、また、そこにたどり着くことが少し恐ろしくもあり、なんとなく落ち着かない。

書き出しはつねに自分自身のことから始めよう。そして筆の流れに身をまかせるのだ。〝エロティシズム〟という言葉は重々しい。落ち着かないときは部屋を見まわして、小さな、具体的なものから書きはじめよう。たとえば、受け皿にのったティーカップ、リンゴの薄切り、あなたの赤い唇についたオレオ・クッキーの粉……。はるか遠く離れた場所からスタートし、答えに向かってらせん状に降りていかなければならない場合もある。書くことは発見だ。あなたが見出したいのは、テーマの辞書的定義ではなく、テーマと自分との関係であるはずだ。

「自分はどこから来たか」――ニューメキシコのある生徒は、制限時間内に書く練習でこのテーマを選んだ。書き出しはごく最近の出来事――産院にいる友達を見舞いに行ったこと――だった。その訪問のディテールのあと、この友人夫婦と赤ちゃんのために感謝祭の料理を作ったときの描写が続いた。そのあいだずっと、みんなは彼女が「自分はどこから来たか」というあの質問をハミングしているように感じた。サンタ・フェで七面鳥のディナーを食べている場面の真っ最中、話はとつぜんブルックリンへ、彼女自身の出生へ、そして母親へと切り替わった。いつでも主題に飛びかかれるわけではない。そこにたどり着くまで、しばらく時間がかかることだってあるのだ。

片桐老師はカップルについてこんなことを言った。「歩くときは横に並ばなきゃいかん。向かい合っては歩けんぞ」。書きたいと思っていることについても同じことが言える。がむしゃらに正面から飛びつくのではなく、脇で控え目に踊るのだ。エロティックな気分でメロンを食べることについて書いたなら、〝エロティック〟という言葉をまったく使わなくても、読み手はそこにエロティシズムを読みとるだろう。

とはいっても、エロティシズムについて赤裸々に話したいあなたに、そうするなと言っているわけではない。でも、服を脱ぎ捨てていきなり水中に飛び込んだりしたら、冷たくて震えあがってしまう。あなたは「こりゃ無理だ」と言いながら、水から飛び出してくることだろう。エロティシズムには対岸から、しっかり服を着てアプローチしよう。向こう岸まで時間をかけて泳ぐようにしよう。泳ぎながらシャツとパンツをゆっくり脱いでいけば、向こう岸に着くころにはまっ裸に――赤裸々にエロティックに――なっているはずだ。それは、いつもそうしたいと思いつつ、恥ずかしさや恐れであきらめていたことだった。たどり着くまでに時間はかかったが、岸に着いたときはしっかりと足場が固まっている。私たち読者も、あなたについてここまで泳いできた。あなたの言うことをなんでも喜んで聞くつもりだ。だから、さらに先に進んで、ワイルドになってほしい。

大きなテーマには別のアングルでアプローチすることもできる。ちがった切り口でそのテーマをとらえるのだ。たとえば、エロティシズムという言葉を聞くと吠《ほ》えたくなったり、ものが言えなくなってしまうなら、興味を引くような別の言葉に置き換えてみよう。たとえばこんなテーマで書いてみるのはどうだろう。

◎あなたを熱い気分にするものは？

◎セクシャルな果物のリストを作る。
◎恋をしていないときにあなたが食べるものは？
◎あなたの身体の中でいちばんエロティックな部分は？
◎「身体は風景になる」（メリデル・ル・スール）
◎あなたが関係を持っているものは？
◎あなたが初めてエロティックな気分になったときのこと。

エロティックということがなんであるかわからなくても、わかっているつもりで書こう。

さあ、制限時間は十分。右のリストからひとつ選んで書くこと。具体的に書くことを忘れずに。スタート！　文章をあれこれいじくりまわさないで、手を動かしつづけよう。

自分の町を観光する

物書きは、ふつうの人があまり注目しないものについて書く。たとえば自分の舌や肘《ひじ》、蛇口から出る水、ニューヨーク市のゴミ回収トラック、小さな町の消えかかった紫色のネオンサイン。私はいつも小学生たちにこう言う。「お願いだから、もうマイケル・ジャクソンやファミコンゲームやテレビのキャラクターを詩に入れないでちょうだい」。そういうものはすでにみんなの注目をじゅうぶん集めているし、おまけに、その人気は何百万ドルもの広告費を使って得られたものだ。作家の仕事とは、平凡なものを生きいきと輝かせること、ありふれた存在にそなわる特殊性を読者に気づかせることなのだ。

同じところに長く住んでいると退屈してくる。周囲のものに気をとめなくなる。だからこそ、旅行は人をわくわくさせるのだ。知らない土地に来ると、私たちはすべてを新しい目で見るようになる。私にはニューヨークに友人がいるが、彼女が最後にエンパイア・ステート・ビルに行ったのは、小学五年生の遠足のときだった。彼女のもとへミネソタから友達が何人か訪ねてきたとき、当然のことながら、彼らはこの摩天楼《まてんろう》に行きたがった。彼女はこのビルのてっぺんにまた行けるので胸をときめかした。しかし、ひとりだったらとうてい行かなかっただろうし、行こうなどと考えもしなかっただろう。

物書きは、田舎から初めてニューヨークにやってきたおのぼりさんのようなものだ。ただし、実際に田舎を出るということではなく、自分の住む町をニューヨークに来た観光客の目で見るのだ。そして自分の人生も同じように見はじめる。私は最近サンタ・フェに引っ越した。このあたりにはものを書く仕事があまりないため、近所のレストランでコックのパートをした。ブランチ〔朝食と昼食を兼ねた軽食〕を一日中作るために日曜の朝六時に目覚めた私は、自分の運命に疑問を持った。朝八時にはニンジンを斜めに切っていたが、ニンジンのオレンジ色に気づいて私はひとりごちた。「うーん、奥深いわねえ」。私はニンジンに恋をした。笑いがこみ上げてきた。「いったいどうしちゃったんだろう！　こんなつまらないことに、こんなに簡単に満足しちゃうなんて」。

ごくありふれたものについて書けるようになろう。古いコーヒーカップ、スズメ、市バス、薄いハムサンドに敬意を払おう。平凡なものを思いつくだけリストにしよう。どんどんリストに追加すること。そして自分にこう約束しよう。この世を去る前に、リストにあるどんなものも最低一度は詩や短編や新聞記事に使います、と。

どこでも書ける

子供たちは菓子箱に顔を突っ込んでいる。預金口座には百円しか残っていない。亭主は自分の靴を見つけられない。車のエンジンがかからない。これまでの人生で夢が叶《かな》ったことなど一度もなかった、とあなたは思っている。核による大量殺戮《さつりく》の恐怖。南アフリカの人種差別。外は零下二〇度。鼻がかゆい。三人分の夕食を出すのにそろいのお皿がない。足がむくんでいる。歯医者に予約しなきゃ。犬を散歩に連れていかなきゃ。冷凍チキンを解凍しなきゃ。ボストンにいる従兄弟に電話しなきゃ。母親の緑内障が心配だ。カメラにフィルムを入れ忘れた。スーパーでマグロの切り身を安売りしている。あなたは仕事が見つかるのを待っている。買ったばかりのコンピュータを箱から出さなければ。ドーナツをやめてモヤシを食べるようにしなければ。気に入っていたペンをなくしてしまった。猫が新しいノートにおしっこした。

別のノートを取り出して、別のペンを握って、書いて、書いて、書きまくってほしい。

世界の真ん中で、ポジティヴな一歩を踏み出そう。カオスの真っただ中で、なにかひとつはっきりした行動をとろう。とにかく書く。人生を肯定し、生きつづけ、しっかり目を見開いていよう。書いて、書いて、書きまくるのだ。

そもそも完全など存在しない。ほんとうに書きたいと思っているのなら、行く手になにが立ちはだかろうと書かなければいけない。完璧な環境、完璧なノートやペンや机などは存在しないのだから、柔軟な姿勢を身につけることが必要だ。ふだんとちがった状況、別の場所で書くことを試みよう。たとえば電車やバスの中で、あるいは台所のテーブルにすわって書いてみる。ひとりで森に行って木に寄りかかり、すぐそばの川の水に足を浸しながら書いてみるのもいい。砂漠の岩の上で、家の前の歩道で、ポーチで、玄関で、車の後部座席で、図書館で、立ち食い食堂で、路地で、職安で、歯医者の待合室で、バーの椅子で、テキサス、カンザス、またはグアテマラの空港で、コーラを飲みながら、煙草を吸いながら、ベーコンとレタスとトマトのサンドウィッチを食べながら、あらゆる状況で書いてみよう。

このあいだニューオーリンズへ行ったのだが、そこで私は地面より高いところに作られたお墓を見た。水位が高くなるのでそうするのだそうだ。私はノートを手に、コンクリートの上にすわり、ルイジアナの蒸し暑さの中で、墓石にもたれ、わずかな日影の中で書いた。頭をあげたときには一時間たっていた。「完璧だわ」と私は思った。といっても、物理的な環境のことじゃない。書くことに没頭すると場所などどうでもよくなる。完璧とはそのことなのだ。どこでも書けるということがわかると、自立感と安定感がみなぎってくる。ほんとうに書きたいと思っている人は、なにがあっても最終的には、書くための方法を見つけるものだ。

もっと先へ

言いたいことを言い切れたと思ったときも、もうひとふんばりして、その少し先まで進もう。書き終わったと思っても、実はまだ「始まり」の崖っ縁である場合だってある。たぶんそれだからこそ、そこで終わりと決めてしまうのではないだろうか。だんだんこわくなってくるのだ。私たちは生々しい現実にタッチダウンしようとしている。力強いものが出てくるのは、たいてい書き終わったと思った地点の先からだ。

私のクラスにお母さんを癌《がん》で亡くした生徒がいた。彼女は一ページの半分を埋めるのだが――素朴でよい文章だった――いつもそこでやめてしまう。クラスでの朗読のとき、もっと書くことがあるのではと思った私は、彼女にそう言った。すると彼女は微笑を浮かべて、「制限時間の十分が終わっちゃったんです」。必要なら一分オーバーしたってかまわない。限界を超えて書くことはたしかに恐ろしく、実際にコントロールを失ってしまう場合もあることは私も知っている。でも私は約束しよう。あなたは向こう側にたどり着くことができるし、歌いながらそこから出てくることもできるのだ。その歌の前に少し悲鳴をあげるかもしれないが、心配することはない。感じるままに書く手を動かしつづけよう。傑作が書けたとき、私の心はたいていズタズタになっているものだ。

小さな子供に作文を教えると、かなりこみいった筋立ての短編を書いてくる。けれども、がんばって物語を完結させるかわりに彼らはこんな手を使う。「そこで目が覚めてしまいました！」　とことん書いていくなら心の奥深くにある答えにたどり着けるのに、そうしないでいると、あなたは夢から醒《さ》めるのではなく、悪夢を現実の世界に持ち込むことになる。書くことは、自由に向かって泳ぐ大きなチャンスを与えてくれるのだ。

がんばって限界を突破したと思えたときにも、さらにもうひとふんばりして先に進もう。調子が乗っているなら、その状態をできるだけ維持しよう。途中でやめないこと。その瞬間が、将来そっくりそのまま現れる保証はないし、書きかけの作品をあとで仕上げるのは、いま仕上げてしまうよりもずっと時間がかかるものだ。

これは私自身が経験から得たアドバイスだ。自分で行けると思っている地点より、ずっと先をめざして進んでほしい。

慈悲のめばえ

私はいまギリシアの小島にいる。まわりにはエーゲ海、海辺の安ホテル、ヌーディスト・ビーチ……。竹葺《ぶ》き屋根の食堂《タヴェルナ》でウーゾ〔ギリシア風リキュール〕をすすり、タコをつまみながら鮮やかな夕日を眺めている。私は三十六歳で、同行の友達は三十九歳。どちらも初めてのヨーロッパだ。私たちはすべてを吸収しているつもりだが、四六時中おしゃべりに忙しいせいで、どこか中途半端だ。六歳のときにピンクのチュチュを着てバレーのリサイタルに立ったときの話を私は彼女にする。最前列にすわっていた父が、私を見るなり感激して泣き崩れたのだ。友達のほうは、ネブラスカにあるカトリック系の学校に通っていたご主人が、主役で出ることになっていた劇に遅刻してしまったときのことを話してくれる。修道女が生徒たちをひざまずかせ、彼がちゃんと来るようにお祈りさせたのだそうだ。

火曜日、私はひとりきりにならなくてはと思う。散歩がしたいし、なにか書いてみたい。

誰でもなにかひとつ恐れていることが人生にある。私にとってそれは孤独だ。けれども、いちばん恐れているものとは、えてして自分の夢に近づくために克服すべき最重要課題である場合が多い。私は作家だ。作家は多くの時間をひとりでものを書いて過ごす。それに、この社会でアーティストであることも私たちを孤独にする。朝になると、まわりの人たちはみな会社や決められた仕事に出ていく。アーティストはそうした社会の枠組みの外で生きている。

そういうわけで、私は丸一日ひとりきりで過ごすことにした。私はいつも自分の限界を押し広げたいと思っている。いまは正午、とても暑い。ビーチには行かないつもりだ。どの店も昼過ぎには閉まってしまう。人生をどうしようか、と私は考えはじめる。方向を見失ったり、自信が持てなくなると、私はいつでも人生全体を疑問視してしまうようだ。それはとてもつらいものになる。そんな状態を乗り越えるために、私は自分にこう言って聞かせる。「ナタリー、あなたは書くって決めたんでしょ。いますぐ書きなさい。頭が変になりそうに思えても、寂しくてしょうがなくても関係ないわよ」。私は書きはじめる。近くの教会、波止場の船、自分が入った喫茶店のテーブルについて書く。たいして楽しいわけじゃない。友達がいつ戻るのか気にかかる。五時の船に乗っていなかったからだ。

私はギリシア語が話せない。ひとりでいると、まわりのことがいつもより鋭く観察できる。隣のテーブルにいる四人の老人は、テーブルに積みあげた長細い豆の筋をひとつひとつ取っている。海のほうを向いている老人とその左隣の老人が口論している。波止場の近くで黒い服を着た老女が前かがみになって、長いストッキングを引っ張りあげている。私は知らない海岸に迷い込み、砂州《さす》にすわって夕日を見ながら『アフリカの緑の丘』を読みはじめる。新鮮なマグロを売っている小料理屋に気づく。私はまわりのものとつながりを持とうとする。友達がとても恋しくなるが、このパニック状態を切り抜け、砂や空や自分の人生と友達になる。私は海岸に沿って宿に戻る。

この友達は、私と一緒にパリを歩くと、道に迷うことを恐れてパニック状態になる。迷子になることは私にはこわくない。迷うときはただ迷う。それだけのことだ。地図を見て帰り道を探せばいい。むしろ私は、地図なしでパリをぶらつくのが好きだ。それと同じように、孤独という名の荒野でも楽しくさまよえるようになることが、私には必要なのだろう。孤独が身にこたえてきたら、パニックに陥ったりせず、地図を取り出して道を探せばいい。実存主義者のように世界は「無」であると結論を急いだり、「私はどうして作家になるべきなんだろう？」とすべてを疑ってかかったり、自分を奈落の底に突き落としたりせずに。

ノートに向かうとき、真っ白なページ、曖昧な心、アイデアの枯渇、なにも感じられない恐怖などが立ちはだかるようなら、まさにそこから、その緊張感から書きはじめよう。この手の書き方はコントロールがきかないし、結末がどうなるのかもわからず、おまけにその始まりは無知と暗闇の中にある。しかしこうしたものと面と向かい、そこから書きはじめるなら、結局それが私たちの殻を破って、あるがままの世界に心を開かせてくれる。恐怖というこの竜巻の中から、ほんとうの作家の声が生まれるのだ。

パリにいるとき、私はヘンリー・ミラーの『北回帰線』（*Tropic of Cancer*）を読んだ。最後から二番目の章でミラーは、いやいや英語を教えていたフランスのディジョンの学校について憤激している。そこにある死者の銅像や、いずれ歯医者や技師になる生徒たち、身にしみる冬の寒さ、からしの名産地であるその町全体に怒りをぶちまけている。そこにいなければならないこと自体、癪《しゃく》にさわっている。しかしその章の終わりになると、彼は夜更けの大学の門の外で、すっかり穏やかな心になって腰をおろし、すべてのものは善でも悪でもなく、ただ生きているのだということに気づく。その一瞬、彼はあるがままのものに自らを明け渡したのだ。

自分の苦痛から書きはじめるなら、やがて、われわれ人間の迷いの多いちっぽけな人生に対する慈悲の気持ちがめばえてくる。こうした心の痛みから、足下のコンクリートや突風でズタズタになった枯れ草に対するやさしさが生まれてくるのだ。そのとき私たちは、かつては醜《みにく》いと思っていたまわりの事物に手を触れ、それらが持つ独自のディテール、たとえばペンキのひび割れや灰色の影を――否定的なものとしてではなく、私たちをとりまく生の一部として――あるがままに見、この人生を愛することができるようになる。なぜなら、この人生は他ならぬ自分のものであり、いまこの瞬間、この人生以上にいいものなど存在しないからだ。

疑いは拷問

私の友人は音楽業界とつながりを持ちたくて、ロサンジェルスへ引っ越すことを考えていた。彼はミュージシャンで作曲家でもある。自分の野心に従うときがきたのだ。そんな彼に片桐老師はこう言った。

「ほんとうに行くと決めたのかね。それじゃあ、あんたの心構えを聞かせてくれたまえ」

「まあ、ベストを尽くすつもりです。とにかくやってみなくちゃと思うんです。もしだめならだめで、それはしようがない。あきらめますよ」

老師はこう答えた。「そんな心構えではいかん。叩きのめされたら起きあがりなさい。また叩きのめされたら、また起きあがる。何度叩きのめされようと起きあがるのだ、という態度でいかにゃあ」。

これは書くことにもあてはまる。売れる本一冊に対して、何千冊もがボツになっている。それでも私たちは書きつづけなければいけない。書きたいと思っているなら書きなさい。

書いた本が出版されなかったなら、もう一冊書きなさい。書くたびに腕が上がっていき、あなたの作品はどんどんよいものになっていくはずだ。

私はひと月おきに、もう書くのはやめようという気分になる。そのとき心の中ではこんな会話が行なわれる。「ばかばかしい。ちっともお金にならないし、詩を書いたってキャリアになるわけでもない。詩なんてみんなにとってはどうでもいいのよね。孤独。もうこんなのいや。ばかみたい。私もふつうの生活がしたい」。こういう考えは拷問と同じだ。疑いは拷問。なにかを全身全霊を込めて行なっていれば、それをやめるべき時期はおのずからわかるものだ。疑いはあなたの忍耐力を絶えず試している。ときには私も疑惑の声に耳を傾け、しばらくのあいだ脇道にそれてしまうことがある。「セールスの仕事をしてみようかな。作家仲間が集まってカプチーノを飲みながら書けるように、喫茶店でも開こうかな。結婚して主婦になって子供を産んで、夕食に最高の鶏料理でも作ろうかな……」。

疑いに耳を貸してはいけない。苦痛と否定的感情以外に得るものはないからだ。疑いは、あなたが書こうとするときまってアラ探しをする批評家のようなものだ。「頭わるいんじゃない。そんなひどいもの書いてるの。作家になろうだなんて、あんた自分のことをなんだと思ってんの」。こんな声は無視しよう。百害あって一利なしだ。そのかわり、書くときにはやさしさと決意を持って臨もう。ユーモアのセンスや、自分は正しいことをしているという理解に立った忍耐力もたいせつだ。疑いというあのちっぽけなネズミにかじられないようにしよう。疑いの彼方にある人生の広がりに目を向け、練習の積み重ねによって必ず報われるのだ、と信じてほしい。

小さなご褒美

ユダヤ教には古くからのこんな習慣がある。勉強を始めた男の子がトーラー〔律法の書〕の最初の言葉を初めて読むと、蜂蜜かお菓子がひと口ご褒美に与えられる。子供がいつも勉強と甘いものを結びつけて考えられるようにするためだ。ものを書くこともこうあるべきだと思う。最初から、書くことはよいこと、楽しいことだと覚えていてほしい。書くことと戦ってはいけない。友達になろう。

実際、書くことはあなたの友達である。あなたに何度見捨てられようと、けっしてあなたを見捨てたりしない。書くプロセスはつねに生命とエネルギーの源だ。仕事から戻って、落ち込んで憂うつな気分のとき、私は自分にこう言う。「ナタリー、なにをしなきゃいけないかわかっているわよね。書かなきゃだめよ」。頭が冴《さ》えているとき、私はちゃんとこの声に従う。でも、やけくそだったり、ぐうたらな気分のときは、そんな声など無視して憂うつ状態を引き延ばしてしまう。この声に従うことは私にとって自分の人生に触れる機会となる。それは心をなごませ、自分自身とのつながりを取り戻せた気分にしてくれる。たとえ高速道路の朝の渋滞についてであっても、書くことによってそれをもう一度生きなおすことは、いつも私に安らぎと肯定的な気分を与えてくれるのだ。「私は人間である、私は朝起きる、私は高速道路をドライブする」。

ゴア・ヴィダルの素晴らしい言葉を引用しよう。「著者なら――また読者なら――誰でも知っていることだが、上手に書くことは最高のトリップだ」。「上手に」書けるかどうかなんて心配しなくていい。書くことそれ自体が天国なのだ。

新しい瞬間

片桐老師はよくこう言った。「百尺竿頭進一歩《ひゃくしゃくかんとうにいっぽをすすむ》」（高さ三十メートルの柱のてっぺんから、なおも一歩前に進め、という意味の禅語）。こわいでしょう。あなたは苦労しててっぺんにたどり着く。それだけでもじゅうぶん危険なのに、そこにとどまってはいけないというのだ。思い切って柱の端から一歩踏み出さなくてはならない。言いかえれば、成功したからといって休んではいられないのだ。失敗したときも同じ。「昔、傑作を書いたことがあるんだ」。それはけっこうだが、いまは新しい瞬間だ。別のものを書こうではないか。成功や失敗に翻弄《ほんろう》されないようにしよう。どんな状況でも書きつづけること。それは元気と健康を保つコツでもある。ほんとうのところ、三十メートルの柱のてっぺんから一歩踏み出しても、必ず落ちるかどうかは誰もわからない。ひょっとしたら飛べるかもしれない。いずれにせよ保証などないのだから、ひたすら書きつづけよう。

春になると、さしたる理由もなくチューリップの花が咲く。もちろんそれは球根を植えたからであり、四月になって地面が温まったからだ。でも、それはなぜ？　地球が太陽のまわりを回るから。でも、それはなぜ？　万有引力以外に理由はない。引力があるのはなぜ？　理由はない。そもそもどうして赤いチューリップの球根を植えたのだろう？　きれいだからだ。そして、美というものはただ美であるだけで、それ自体にはなんの理由もない。かくして世界は空《くう》である。ものごとは理由なく現れ、理由なく消えていく。なんという素晴らしいチャンス！　だってそれは、いつまた書きはじめてもいいということだからだ。これまでの失敗はすべて忘れ、机に向かって傑作を書こう。どうしようもなくひどいものを書いて、いい気分になるっていうのもいい。

熱い石炭の上を歩く火渡りのワークショップを行なっているトニー・ロビンスが、ある契約について話してくれた。その町でワークショップが開かれるたびに、彼と主催者側のあいだでは、値段やスケジュールなどについて押し問答が行なわれてきた。今回トニーはこのやりとりのエネルギーを変化させることにした。彼は水鉄砲を買い、それにたっぷり水を入れ、高級スーツの内ポケットに隠した。

お金のことが話題にのぼるやいなや、彼は水鉄砲を取り出し、ビルの十階にある重役室の大きな机にすわっているこの契約者に向けて発砲したのだ。相手は驚きのあまり笑い出し、自分たちがこの押し問答を毎年繰り返してきたことにすぐ気づいた。そしてペンを取り出し、契約書にすみやかにサインしてくれた。どの瞬間も新鮮だ。これまで商談で水鉄砲が使われたことがなかったからといって、水鉄砲を使っていけない理由はない。

いますぐ抵抗をはねのけて傑作を書こう。いますぐに。いまは新しい瞬間なのだ。

なぜ書くのか

「なぜ書くのか？」これはいい質問だ。ときどきこの問いを自分に投げかけてみよう。どんな答えを出したって書けなくなるようなことはないし、そのうち答えも出つくしてしまうだろう。

◎私はいやなやつだから。
◎男の子にもてたいから。
◎お母さんに気に入られたいから。
◎お父さんに憎まれたいから。
◎口で言っても誰も聞いてくれないから。
◎革命を起こしたいから。
◎大傑作をものにして大儲《おおもう》けしたいから。

◎私は神経質だから。
◎私はシェイクスピアの生まれ変わりだから。
◎言いたいことがあるから。
◎言いたいことがないから。

サンフランシスコ禅瞑想センターのベイカー老師曰く、「〝なぜか?〟というのはまずい質問だな」。ものごとは理由などなく、ただ存在するからだ。ヘミングウェイはこう言っている。「なぜではなく、なにを書くかだ」。具体的な情報をくわしく書こう。「なぜ」は心理学者にまかせておきなさい。自分は書きたいのだということさえわかっていれば、それでじゅうぶんだ。

とはいえ、私たちに始終ついてまわるこの「なぜ」を探ってみるのもいいかもしれない。それは、究極の理由が見つかるからではなく、書くことが人生の中に実にさまざまな理由で浸透しているようすがわかるからだ。たしかに治癒効果はあるが、書くことはセラピーではない。セラピーを受けて、自分が甘いものを食べるのは愛情の埋め合わせなのだとわかれば、チョコレートやアイスクリームを絶つことができる（運がよければね）。けれども、自分が書くのは愛に飢《う》えているからだとわかっても、書くことはやめられない。書くことはセラピーよりずっと奥が深い。苦痛をくぐり抜けて書こう。自分の苦しみさえも文字にし、手放さなければならないのだ。

創作クラスではつらい出来事がよく話題にのぼる。夫の死、死んだ赤ちゃんの遺骨を川に流したこと、失明しつつある女性……。書いたばかりの作品を生徒に朗読させるとき、「泣きたかったら泣いてもいいけど、朗読はちゃんと続けなさい」と私は言う。ひとりが読み終えたら少し間《ま》を置いてすぐ次の人の朗読に移るのだが、作者の苦しみを無視しようとしてそうするのではない（苦しみは苦しみとしてちゃんと認めてあげる）。教室での目的は書くことにある。書くことは、それまで繰り返し感じてきた感情を取りあげ、それに光と色と物語を与えるチャンスである。私たちは「怒り」を湯気を立てる赤いチューリップに変え、「悲しみ」を十一月の薄日にさらされたリスの群がる古い小道に変えることができるのだ。

書くことには途方もないエネルギーがある。どんな理由であれ書く理由を見出したなら、あなたはもはや書く行為を否定できなくなる。そして、紙の上で心の深みから燃え、鮮やかな光を放つようになるだろう。「なぜ書くのか」「なぜ書きたいのか」と自問するのはいいが、あまり考えこんではいけない。ペンと紙を取り出し、その問いにはっきりと答えよう。主張のすべてが一〇〇パーセント真実でなくてもいい。一行一行が矛盾《むじゅん》してもかまわない。先に進むのに必要なら嘘をついてもいい。なぜ書くのかわからなかったら、わかっているつもりで答えよう。

なぜ書くのか？　それは、これまでの人生で私はずっと口をつぐんできたからだ。そして私のエゴは、永遠に生きたい、まわりの人たちも永遠に生きてほしいとひそかに願っている。私はときの経過や、人間のはかなさに傷つく。どんな喜びもその縁には、これもやがて去るものだという苦悩が忍び寄っている。たとえば〝クロワッサン・エキスプレス〟。アメリカの典型のような中西部の大都市ミネアポリスはヘンネピン通りの角にあるこの店のメニューから、いつかココアが消えてしまう。私はニューメキシコに引っ越すつもりだ。向こうの人たちは誰もこの店の素晴らしさなど知らないだろう。午後、とつぜん差し込む日差し、銀色に輝く天井、オーブンでクロワッサンを焼くほのかな匂い……。

私がものを書くのは、ひとりぼっちだから、世間をひとりで生きているからだ。私の中をなにが通過したか、誰にもわかるまい。もっと驚くべきことには、私自身にもわからない。春になったいま、零下二〇度がどんなだったかもう思い出せない。暖房していても、家の薄い壁を通して死が叫んでいるような冬だったのに。

私がものを書くのは、私がクレイジーで分裂症的だから、また、そのことを認識しており、精神病院に入らずになんとか折り合いをつけなければと思っているからだ。私がものを書くのは、みんなが話し忘れている物語があるからだ。また、私が女で、この人生でしっかりひとり立ちしていこうとしているからだ。私がものを書くのは、唇と舌によって生み出した言葉や頭の中で考えたことをあとで撤回できないようにあえて書きとめることは、最も力強い行為だと知っているからだ。私は目を輝かせて、自分の内部を測量し、それを表に持ち出し、色と形を与えようとしている。

私にとっては愛ですらじゅうぶんではなく、最終的には書くことだけが私の財産かもしれないのに、それもまたじゅうぶんでない。このことにまったく納得がいかないからこそ私はものを書く。しかし、そうした思いを書きつくすことはけっしてできないし、そのうえ、机とノートから離れて実人生に向き合わなければならないときもある。しかしまた、ノートに向かうことだけが人生への真の対峙《たいじ》である場合もある。

そしてまた、心の傷をもとに書き、その傷を癒《いや》すために、自分を強くするために、我が家に戻るために、私は書く。私にとってほんとうの我が家と言えるのは、今後もそれだけなのかもしれない。

以上は一九八四年四月に〝クロワッサン・エキスプレス〟で書いたものだ。いま書いたら、また別の答えが出るかもしれない。私たちが書くのはつねにいまのこの瞬間であり、そこにはその瞬間の精神状態や感情や環境が反映される。これは、ある瞬間に書いたものが他の瞬間のものに比べてより真実であるということではない。すべてが真実なのだ。

「こんなことして時間の無駄じゃない？」「なぜ書くの？」というういつもの小言が出てきたら、ページの中に飛び込んで答えをたくさん出そう。でも自分を正当化しようとしてはいけない。書く理由は書く行為そのものの中にある。書くのは字が上手になりたいからであり、自分がばかだからであり、紙の匂いがたまらなく好きだからだ。

月曜日はいつも

去年の冬、私は親友のケイトと毎週月曜日に会って一緒に書いていた。朝九時に落ち合い、午後二時か三時ごろまで書いた。彼女はときおり、「分割というテーマはどう？　時間は一時間ね」というふうにアイデアを持ちかけてきた。二人しかいなかったので、書き終えたらすべて声を出して読み合った。時間中は手を休めなかったので、文章は相当の量になった。

こうしたことを私たちはあちこちの喫茶店で行なった。ルイス・サリヴァンが設計した私の大好きな銀行を見せに、彼女を連れてミネソタ州オワトンナまで一時間ドライブしたこともある。その銀行の向かいの喫茶店で私たちは書いた。当時、私は失業中で仕事を探していた。彼女は書くための奨励金をもらっていた。

こんな話をするのは、それがとてもたいせつなことだからだ。私たちは毎週一日をまるまる書くことに当てようと喜んで約束した。一緒に書いて読み合うこと、そしてこうした友情がたいせつなものだと思ったからだ。その日はたまたま月曜日、一週間の仕事が始まる日だった。このことを覚えていてほしい。生計を立てること以外に人生に意味が見出せなくなり、そのことに悩んでいる自分に気づいたなら、私とケイトの月曜日のことを思い出してほしい。

エルサレムに三カ月滞在したとき、私の大家さんは五十代のイスラエル人女性だった。あるときテレビがこわれ、彼女は修理屋を呼んだ。テレビが直るまでに修理屋はつごう四回も来なければならなかった。「修理屋を呼ぶ前から、大家さんはテレビのどこがおかしいのかわかっていたんじゃないですか？　必要な真空管を持ってこさせれば、すぐにでも直してもらえたのに」。私がこう言うと、彼女は驚いた顔をしてこう言った。「それはそうだけど、それじゃいい人間関係ができなかったと思うわ。一緒にお茶を飲みながら、修理の進み具合について話したりできないでしょ」。この大家さんにとって大事なことは、テレビの修理よりも人間関係を築くことなのだ。

このことを覚えておくといい。行為だけが重要なのではない。「私は本を書いてるんだ」なんて偉そうに言う人がいるが、そんなのは大したことじゃない。むしろ、それをどう行なうか、どんなアプローチを取るか、なにを重視するようになるか、ということのほうが重要なのだ。

二階に住む友達が私にこう言ったことがある。「ナタリー、あなたは人間だけじゃなくて、すべてのものと仲よくなるのね。階段や、ベランダや、車や、トウモロコシ畑や、雲とまで」。私たちは万物の一部だ。このことを理解すると、書いているのは自分ではなく、万物が自分を通して書いているのだということに気づく。ケイトと私はお互いを通して、月曜日を通して、街やコーヒーを通して書いた……色と色とをにじませるようにして。

現実というものは人間の数だけある。このことは、自分以外の世界、他の人々の生き方が気になって仕方がなくなったときに思い出すといい。重要なのはまさに自分の人生が存在するということ、そして、その人生をどんなふうに書きたいか、雨や食卓や音楽や紙コップや松の木にどう接したいかということなのだ。

十分間ほど、「私は……の友達だ」という文章を書いてみよう。……の部分には生物以外のものをどんどん入れていく。これは目を開かせてくれるよいウォームアップだ。この練習をすれば、人生の視野の中に無生物も取り込めるようになる。トースターや高速道路や山や歩道の敷石も私たちとともに生きているのだ。自分のことで頭がいっぱいになって身動きがとれなくなったときは、一歩外に踏み出る必要がある。右にあげた練習や、友達と一緒に書くことは、そのことを気づかせてくれるだろう。

月曜日はいつも（続）

　ケイトと過ごしたあの月曜日について、もっと話したい。彼女の家に書きに行ったときのこと。ご主人は二階で寝ていて、子供たちは保育園に行っていた。暖房はマッサージ台の上にあるヒーターだけで、私のかじかんだ手はなかなか温まらない。私たちは立てつづけに煙草を吸った。といっても、煙を吸い込むのではなくふかしていただけだが。ケイトはスカーフをニューヨーク風に首に巻いていた。

　私とケイトは、自分たちの作家としての声について話し合った。作家としての声は力強く勇敢なのに、実生活において私たちは臆病な人間だ。これが作家の狂気の原因となる。机に向かって書くときに感じる世界への大きな愛と、地球を無視した実生活とのギャップの大きさ！　書斎を一歩出れば奥さんを虐待し大酒を飲んだヘミングウェイが、どうして漁船のサンチアゴ老人の粘りを書くことができたのだろう？　私たちはこの二つの世界をひとつにしなくてはいけない。芸術とは非攻撃的な行為だ。私たちは日々の生活の中で、それを身をもって示さなければいけない。

私たちはその日一日中おしゃべりして過ごし、書いたのは二十分間のセッションを二回だけ。あとはケネス・レクスロスの美しい詩を読んだ。それでも悔いはなかった。一日全体が美しい詩のようなものだったからだ。友情、冷えた足、猫の餌やり、吸い殻でいっぱいの灰皿……。もう少し知恵があったなら、夜それぞれの世界に戻ってからも、私たちはその「詩」を続けることができただろう。

片桐老師はこう言っている。「私たちの目標は、つねにどんなときでも、一切衆生にやさしい思いやりを持ちつづけることだ」。それは、紙の上に美しい詩を書いておきながら、その一方で人生に唾を吐き、車をののしり、高速道路で割り込み運転をすることじゃない。そうではなく、詩を書斎から台所に持ち出すことなのだ。アメリカ経済にほとんど貢献していなくても、雑誌にほとんど相手にされなくても、こうすることで私たち作家は生き延びることができる。私たちが書くのは、お金をもらったり、雑誌に載せてもらうためではない——もちろん、それはそれでうれしいことだけれど。

物書きのハートの真ん中には、ひとつの秘密が隠されている。それは、この世界が大好きだからものを書くということだ。いつかはこの秘密を自分の身体と一緒に、居間や、ベランダや、裏庭や、スーパーマーケットに持ち出そう。詩も、その書き手も、みんなまるごと花開かせよう。そして、この地上ではいつもやさしくあろう。

即興詩人

学校や教会、禅センター、託児所などでバザーやお祭りやがらくた市が開かれるとき、自分には関係ないことだと思わないように。自分にできることなどないとは考えないでほしい。〝即興詩人〟になってみよう。必要なのは白い紙一束、書きやすいペン、机と椅子、それに、「詩のご注文お受けします」「即興で詩を作ります」「どんなテーマでも書きます」などと謳《うた》った看板だけ。

私はこれをミネソタ禅瞑想センターの夏祭りとバザーで三年間行なった。最初は遠慮がちに一作あたり五十セントいただくことにしたが、翌年は一ドルに値上げした。店の前には一日中行列ができた。お客さんにはなんでもいいからテーマを提供してもらった。「青空」「空性《エンプテイネス》」「ミネソタ」、そしてもちろん「愛」。子供たちからは「紫色」「自分の靴」「おなか」といった注文があった。私は普通サイズの紙の表をぜんぶ埋めること、消したり途中で読みなおしたりしないことを鉄則にした。また、言いたいことがきちんと詩の形式になるかどうかはあまり気にしないことにした。自分のノートを埋める感覚で白紙を埋めていった。これもいい修行だ。

日本には、優れた禅の俳人についてこんな話がある。彼らは素晴らしい俳句を作ったあと、それを瓶に入れて近くの川に流すというのだ。これは無執着についての奥深い例であり、物書きなら誰でも知っておくべきだろう。〝即興詩人〟はその二十世紀版とも言える。これは自意識過剰にならない修行になる。書いたら、それを読み返さず、世界に放とう。これはホームランだと思えるものが書けたときも何度かあった。それでも私は机の向こうのお客さんにさっさと紙を手渡し、次に進んだ。

チョギャム・トゥルンパは、ビジネスマンになるにはまず偉大な戦士でなくてはならないと言った。何者も恐れず、いつすべてを失っても平気だという心構えが必要なのだ。〝即興詩人〟は偉大な戦士になるチャンスだ。書いた先から作品を手放し、お客さんに渡さなければいけない。これほど急いで仕事をすると、コントロールがきかなくなる。私はいつも必要以上のことを書いてしまった。子供からゼリービーンズをテーマにおいしそうな文を書いてくれと言われたら、食べたゼリービーンズの色どおりにおなかが緑や赤や青に染まる、なんて余計なことまで書いてしまうのではないかと心配した。

けっしてあなどった姿勢で人に接しないこと。みんな真実の断片を求めているのだから。

私の店はとても人気があった。アメリカの社会は、詩人や作家にあまり協力的とは言えないが、書くという行為に対するひそかな憧れや尊敬の気持ちがあるのはたしかだ。十年前ニューメキシコ州のタオスに住んでいたとき、私はくたびれた日干しレンガの家を月五十ドルで借りていた。大家さんは三十六年前にこの家で生まれたが、この家を嫌い、アルバカーキに移って中産階級のやり手の保険屋として活躍していた。わざわざこんな家を選んで住む人を彼は軽蔑していた。私は外国人の情熱を持ってこの家を愛した。トイレが離れにあっても、蛇口がひとつしかなく冷たい水しか出なくても、薪《まき》ストーブの暖房しかなくても、私は一向にかまわなかった。大家さんが都会から大きな車でやってくるたびに私は愛想よくしたが、どうやっても関係はしっくりいかなかった。私たちは住む世界がちがっていたのだ。

ある日、彼から分厚い封筒が特別郵便で届いた。「まずい！　家賃の値上げだわ」と私は思った（私が家を手なおしするたびに彼は家賃を上げるのだ）。封筒をあけて最初に手にしたのは、私が先週行なった詩の朗読会についての新聞の切り抜きだった。それを見るなり私は思った。「やばい！　追い出されるかも」。しかし、そうではなかった。彼、トニー・ガルシアからの手紙が同封されていた。「ナタリー、あなたは詩人だったのですね。私がここ十年のあいだに書きためた詩を二十五篇、同封しました。次の朗読会でぜひ読んでください」。まさか詩が彼との橋渡しになるなんて、私は夢にも思わなかった。

一年前、サンフランシスコに住む男性から手紙をもらった。彼は以前、ろくに考えもせずに沿岸警備隊に志願したという。船に乗るとき持ち込んだものは二つだけ——家族の写真と、私がミネソタのバザーで三年前に書いた詩だった。彼はいま、コンピュータの仕事で成功しているそうだ。私がお金に困っているなら、喜んで送金すると言ってくれた。彼はあの詩を折りたたんで財布に入れ、いつも持ち歩いているそうだ。

正直言うと、私は彼にどんな詩を書いたのかまったく覚えていない。あの昼下がりに私たちの頭上にあった大きなカエデの木、通りの向こうの池に反射した光、ローラースケートの音、遠くで聞こえるサックスの音、ミネソタで夏を過ごせることの素晴らしさなど、なにかいいことを書いていたらと思う。

この〝即興詩人〟は、作品に執着しないための効果的な修行だ。執着をすっかりなくしてしまおう。紙に書かれたものだけが重要なのではない。たったいまから、自分自身をまるごと物書きにしよう。

間《ま》の感覚

長編小説や短編小説、あるいは詩を書きたいなら、その形式で書かれた作品をたくさん読み、文章がどのように展開されていくかを観察しよう。どんな文で書き出すのか？　どう締めくくるのか？　同一形式の作品をたくさん読むとあなたの内部にその構造が刷り込まれるため、机に向かったとき自然に同じ形式で書けるようになる。たとえば詩人のあなたが小説を書こうと思うなら、ふつうの文章で書くことを学び、イメージの飛躍は避けなければいけない。いくつも小説を読んでいくうち、ふつうの文章があなたの血肉となり、しっかりした場面設定（テーブルクロスの色をどうするか）や、登場人物を部屋からコーヒーポットのところまで移動させる方法などがわかるようになるだろう。

短い詩を書くのであれば、その形式を消化し、その形式で練習しなくてはいけない。試しに短い詩を十篇続けて書いてみよう。三行詩で、制限時間は三分。コップ、塩、水、光の反射、窓……目に入ったものをタイトルに選んで書きはじめよう。三行、三分。最初の題は「コップ」だ。あまり考えないで、さっと三行書く。ちょっと間《ま》をおいて次の詩に移る。三行、三分。次の題は「塩」。こうしてすばやく考える方法が身につき、必要なときにはすぐこの形式で書けるようになるまで練習しよう。短い詩では、言葉はすべて無駄なく使う必要がある。題名も詩行に使われた言葉の繰り返しではなく、詩全体に新たな次元を与えるものでなくてはならない。

火渡りの達人トニー・ロビンソンは、なにかを習いたいなら、それについて少なくとも三十年の経験を持つ名人のところに行って学べと言う。その人の信念、「精神の文法」すなわち考え方の秩序、生理、得意な仕事をしているときにどのように立ち、呼吸し、口元を引き締めるかをじっくり観察してみる。つまりは、彼らをお手本にするのだ。板を素手で割ろうとするとき、あなたはいつものあなたではなく、お手本にしている空手の黒帯になる。あなたの手は板の前でとどまらず、板を突き抜けていく。

形式を身につけるのはいいことだが、非常に微妙な問題も含んでいる。形式だけでは芸術にならないのだ。俳句が日本の短詩の一形式であると私たちは教わっている。十七文字を五七五と三行に分けて書く。題材はたいてい季節や自然だ。アメリカ中の小学生がこの形式の三行詩を教わるが、それは真の俳句とはいえない。腰を落ち着けて四大俳人――芭蕉、一茶、蕪村、子規――の作品をR・H・ブライスの英訳で読むと、訳が五七五の形式を完全に無視しているのがわかるだろう。日本語は英語とはまったく異なっており、日本語の一文字には英語の一音節以上の重みがある。だから英語で俳句を書くときは、短い三行で書くということだけ守って、あとは文字数にとらわれないようにしたほうがいい。

「うん、わかった。ブライスの訳は勉強したよ。俳句を作るには、短い三行で書いて、音節は無視しろってことでしょ」。それはそうだが、では、俳句はたんなる短い詩とどうちがうのだろう？

　俳句をたくさん読んでいくと、句の中に飛躍があることに気づくだろう。それは俳人が大きくジャンプする瞬間であり、読み手はその飛躍についていかなければならない。その瞬間は、読者の心の中にちょっとした空白の感覚《センセーション》、間の感覚を生み出すが、それは瞬間的な神の体験に他ならない。そのとき、あなたは「ああ」と声をあげたくなるはずだ。次の俳句[15]（英訳はR・H・ブライス）を読んでみよう。ひとつの作品を読んだらしばらく時間を置いて、じっくり味わってみてほしい。

草むらや名も知らぬ花の白き咲く　　子規

Among the grasses,
A flower blooms white,
Its name unknown.

卉《くさ》の葉も風癖ついて暮の春　一茶

Spring departs,
Trembling, in the grasses
Of the fields.

月に遠くおぼゆる藤の色香哉《かな》　蕪村

The scent and colour
Of the wisteria
Seem far from the moon.

父母のしきりに恋し雉子《きじ》の声　芭蕉

The Voice of the pheasant;
How I longed
For my dead parents！

間の感覚は俳句の決め手だ。どれだけ上手に三行詩が書けるようになっても、そこに神の体験を宿らせることができるまでには相当の修行がいる。芭蕉は、一生のうちに五句作れば俳人に、十句作れば名人になれると言った。

私たちも、傑作をひとつ書くには、駄作を三冊書かなければならないかもしれない。そこで形式が重要になってくる。それは学ぶに値するものだ。しかし形式に生命を吹き込むことも忘れてはならない。そのためにも修行が必要なのだ。

大草原をさまよう

デイヴィッドは三年前の夏、私が北ミネソタで開いた一週間の集中創作ワークショップを受講した。ワークショップの参加者は二十名。休暇をとってやってきた教師が何人かおり、他の人たちもそれぞれ定職を持っていた。みんな書くことに関心を抱いていたが、初日の朝はおどおどそわそわしている人が多かった。私はいつものように、自分の声を信頼して語るべきことをしっかり語りなさい、とみんなを勇気づけた。そして十分間書いたあと、椅子を丸く並べ、作品を朗読することにした。朗読中、生徒たちは震えていた。それはなにも大地を揺るがすような傑作が書けたからではない。そうではなく、知らない人たちの前で初めて自分の声を出すことが、まるで裸の自分をさらけ出すような経験だったからだ。子供時代の思い出、自分の住んでいる農家のこと、自分がどれだけ緊張しているかなどを、みんなは読んでくれた。いつもどおりの始まりだった。そこでデイヴィッドが大きな声でこう読んだ。

マスターベーション。マスターベーション。マーーーーース……マ！　マ！

マ！　マ！　マスター　べー　べー　べー　ション　ション　ション……


こんな調子でずっと続いた。みんなは目を丸くした。

その一週間、デイヴィッドの書くテーマはほとんど同じだった。こんな作品だけを根拠に、なぜ彼には才能があると私が信じるのか、誰しも疑問に思うにちがいない。でも、私は彼を信じた。彼が最初から構文の規則を一切無視し、言いたいことをしっかり言い、自分の声を信じつづけたのは、みんなにとって驚きだった。私もまた彼の作品にものすごいエネルギーを感じ、それをうまく使うことさえできれば（できるはず）、彼は別の主題にも移っていけるだろうと思った。彼はその後二年間、創作クラスに顔を出した。私は彼のその決意に感心したし、彼のユーモアのセンスも気に入っていた（もっとも、私だけにしか受けないこともままあったが）。なにを言っているのかちんぷんかんぷんのときもたしかにあったが、私はその言葉の背後にあるエネルギーを信じていた。

クラスの中にはしばしば、最初からとても筋の通った作品を書ける生徒もいる。文章は完全で、描写は詳細で生きいきしており、しっかり現実に根づいている。中西部の中心地ともいえるミネソタでは、ほとんど誰もがそんなふうに書くことができた。話の内容は竜巻だったり、冬だったり、おばあさんだったり……。でもそれが何年も続くと、このままでは彼らの文章には進歩がないと私は感じるようになった。みんな上手に書けたから、自分の知識を手放したり、新たな辺境へ踏み込んだり、自分の殻を破って未知の世界に挑んだりすることには消極的だった。ある火曜の夜のクラスのことを私は思い出す。生徒の作品は基本的にしっかりしており、よくできていたので、私は彼らに揺さぶりをかけることができなかった。もっとばかになって、口角泡を飛ばし、未知の領域をさまよってほしかった。生徒たちは私の気持ちを理解したいと思っているのにできず、私は彼らを揺さぶりたいのにできなかった。その夜のクラスが終わるころ、私はとつぜんこう言った。「なにが問題かわかったわ！　みんなＬＳＤをやったことがないのね！」

上手に書けるようになるにはＬＳＤや幻覚剤が必要だと言っているわけじゃない。私が言いたいのは、人は人生のある時期、クレイジーになり、コントロールを失い、あたりまえの物の見方から逸脱し、世界は自分が考えているようなものではないと知らなければならないということだ。世界は堅固なものでも、しっかりした構造をそなえたものでも、永遠不変のものでもない。私たちはいつかは死ぬ。確実に決まっているのはそれだけだ。ＬＳＤをやってはいけない。そのかわりにひとりで森に行き、そこで三日ほど過ごしてみるのはどうだろう。馬がこわいなら、馬を飼って友達になってみよう。自分の境界を広げること。少しのあいだ危なっかしい生活をしてみよう。私たちはまるで死など存在しないかのように行動し、その幻想の中でぬくぬくとしている。自分がいつ死ぬのかはわからないが、死ぬのなら歳とってからがいいと願っている。だが、死は一分後にもやってくるかもしれない。こうした死についての想いは、笑ってすますことのできないとても大事なことだ。なぜなら、それこそが生を活性化し、私たちをいまこの瞬間にあらしめ、ただちに油断のない状態にしてくれるものなのだから。

自分の作品の中でふらふら飛んでいるデイヴィッドも、いつかはどこかに着陸し、ミネソタの大地に足をつけて生きている私たちにもそのヴィジョンを納得させてくれるだろう。そう私は信頼していた。いずれ彼はらせん降下しながら、弓の名手のように正確に的を射ることだろう。それまでも彼は自分にじゅうぶんなゆとりを与えてきた。最初からあまりかっちりしすぎていると、正確さは保てても、現在・過去・未来を貫通する真実で言葉を震わせるような命中のさせ方はできないものだ。

たいせつなことは、デイヴィッドがやると決意し、やりつづけたことだ。だから、彼が最近ミネソタ大学で創作科の修士過程に入ったと聞いても、私はさほど驚かなかった。ちゃんとした文章で説得力のあるエッセイや思い出が書けるようになること、自分のエネルギーをちゃんと使って実りをあげることが目的だという。次の作品を読めば、彼がそれに成功したことがわかるだろう。

脚

デイヴィッド・リーバーマン

ジェラルド・スターンとジャック・ギルバードの写真が
『赤い石炭』の表紙を飾る
ジェラルドの歩き方
ぼくは彼が好きだ
彼の身体が好きだ
彼の脚はだぶだぶのズボンを満たし
ライオンのように立たせている
その歩みは心と同じようにオープンで
パリのおいしいところをくるくる回っている
光ゆらめく脚、アールデコのような
細身の戦車のような

心をそなえた脚

一九五〇年のパリを歩くジェラルド・スターンが好きだ
ドンと一緒に二月、サンフランシスコのミッションを歩く
ぼく自身も好きだ
脚で宇宙に挑戦している
若いメキシコ人の男女も好きだ
これは都会でしか見られない
都会では、通りや店や車や路面電車や騒音の活力すべてを
身体が化学的に吸収する
それは音と絵と匂いの秩序と無秩序を百とおり形成し
すべて地下鉄の入り口から
蒸気のように立ちのぼる
それが人の体内に集まって
心を解放してくれるのだ

鈴木俊隆《しゅんりゅう》老師は『初心・禅心』（*Zen Mind, Beginner's Mind*）の中でこう言っている。「人をコントロールするいちばんよい方法は、存分にふざけてもいいんだよと言ってやることだ。そう言われた人は、広い意味でコントロールされた状態になる。羊や牛をコントロールするには広々とした牧場に放してやればいいが、それと同じことだ」。ものを書くときも広い場所が必要だ。せっかちに手綱を引き締めないこと。思う存分ほっつき歩き、迷って自分が誰だかわからなくなるほど大きなスペースを自分に与えてやろう。そうして戻ってきてから、書きはじめればいい。

いい子ブリッ子

どんなスポーツでもそうだが、文章の上達にも練習は欠かせない。「はい。今日は一時間書きました。きのうも一時間、おとといも一時間書きました」。こういった、決まりきった日課を従順にこなすようなやり方はやめてほしい。ただ時間を費やすだけではいけない。もっと大きな努力が必要なのだ。机に向かうときには、一行に全生命をかけるぐらいの覚悟がほしい。でないと、ノートに機械的にペンを走らせながら、早く時間が過ぎないかなあと、しょっちゅう時計に目をやることになるだろう。

「毎日書く」という規則をちゃんと守っていても、ちっとも上達しない人がいる。そういう人たちはただ従順なだけ。〝いい子ブリッ子〟の生き方だ。その気がないのに規則にただ従おうと一生懸命になるのは、エネルギーの無駄使いというもの。自分にもそんな気配があると思えたら、しばらく書くのをやめてみよう。一週間または一年間、書かずに過ごしてみる。なにか言いたくてたまらなくなるまで、話したくてムズムズしてくるまで待つことだ。

心配は無用。休んだからといって、別に遅れをとるわけじゃない。あなたのエネルギーは、より無駄のないダイレクトなものになっていることだろう。といっても、「しめた。しばらく休んでまたやりたくなったときにカムバックすれば、問題は解決してるんだね」ということはないと思う。問題は依然つきまとう。しかし、心の奥にある表現の残り火はじゅうぶんな場と空気を得て、真に燃え上がるようになるだろう。決意を固めたあなたは、もっと真剣に取り組む覚悟でカムバックするはずだ。

もうひとつ忘れないでほしいのは、一定期間――たとえば一、二週間、一カ月、あるいは週末をぶっとおしで――必死に書いたなら、そのあとはしばらく休みをとるということだ。まったく別のことをして、書くことについては考えないようにしよう。薄汚れた部屋の模様替えをしたり、新聞に作り方が載っていたデザートを試してみるのはいかが？　書く以外のことに全エネルギーを注いでみよう。税金を片づけたり、丸々二週間子供と遊んでみるのもいい。そうすれば、いつ書き、いつ休むべきかという自分のリズムがわかるようになるはずだ。こうして自分自身との関係が深まれば、あなたはもう盲目的に規則に従ったりはしなくなるだろう。

私はいま、一カ月間一緒にヨーロッパ旅行をした仲のいい友達のことを思い浮かべている。その前年、彼女は学校で教え、家では四歳の男の子を育てるという多忙な生活をおくっていた。ヨーロッパでの一カ月間、彼女は毎日必ず一時間書くと決めた。そんな彼女を見るのはつらかった。というのも、書くことに対する彼女のアプローチには、教職や夕飯作りや洗濯に向かうのと同じ義務感が感じられたからだ。

話しているうちに、彼女は公立学校の教師になって以来、一度も勤めを休んだことがないということがわかった。病気のときでさえ、母親から学校に行きなさいと言われたという。規則には従いなさいと私たちは教えられてきたが、規則の意味については誰も考えてみようともしない。私はミネソタに六年間いたが、そこで一度も学校を休んだことがないと偉そうに言う人に何人も出会った。私には、学校に皆勤することのどこが立派なのかわからない。たしかに、その日の生徒の出席数に応じて学校には政府から助成金が支給されるし、また世間一般においても、あてにできること、辛抱強いこと、規則正しくすることには価値が置かれている。こうした価値が教えられることに異存はないが、黒白どちらかに決めつけるやり方で教えるべきではない。

黒や白だけでなく、灰色や青といった色合いもあってしかるべきだ。歯医者の予約、飼い犬の死がもたらす悲しみ、ユダヤ教の祭日、アメリカ・インディアンのお祭り、喉の痛み、おばあさんの訪問……。人生には実にいろいろなことが起こる。決まりきった日課の中にも柔軟性を持たせ、ゆとりを感じられるようにすることが必要だ。でないと、義務教育で読み書きを習ったり、青い罫の引かれた白い紙に黄色い鉛筆で手紙を書けるようになったりすることの素晴らしさが感じられなくなってしまうだろう。

書くことにもこうした柔軟性やゆとりが必要なのだ。書くことには積極的な関わり合いが要求される。たしかに一時間手を動かしつづければ何ページかは言葉で埋まるが、いつまでも自分をだますことはできない。あなたは灰色や青や、自分の感情、希望、夢の中に入っていき、その途上のどこかで、突破口を見つけなければならない。今回のセッションでできなければ、次回で……。何年も書きつづけて退屈になったと言うなら、それはあなたが自分自身や書く行為とつながっていない証拠だ。〝いい子ブリッ子〟気質の内側に作家になりたいというひそかな望みがあるのなら、ただ作文の練習に時間を費やすだけでは不十分なのだ。

そうした事態を進展させるには、生活の一部を変えてみる必要もある。ただ書いているだけでは足りないのだ。ある晩ミラノの空港で一緒にワインを一杯飲んだあと、例の友達が私に訊《き》いた。「ねえ、私物書きになれるかしら?」私は真実を言わざるをえなかった。「どうだろう? あなたは素晴らしい人生をおくれる人だとは思う。いい子を育てて、結婚生活もうまくいって……。でも、物書きになれるかどうかはわからないわ」。彼女は手にしていたワイングラスを叩きつけるように置き、この旅行中にはついぞ見られなかったエネルギーで彼女らしい反応を示した。「日曜日にホットドッグを作るだけで人生を終わらせたくないのよ！」　翌月、彼女は十一年続けてきた教職――ここ二、三年は嫌気がさしていた――をやめることを決意していた。そして、ずっとやりたいと思っていた途方もないことを実行に移すことにしたのだ。それはバーテンダーになることだった。旅行が終わるころの彼女の文章には、生気がみなぎっていた。

中西部に住んでいたとき、私はトウモコロシ畑を歩くのが大好きだった。農地まで車で出かけ、畑の畝《うね》のあいだを何時間も歩いたものだ。秋には乾燥した茎の折れる音が聞こえる。そこに友達を連れていったとき、彼女はすぐにこんなことを言った。「それって法に触れるんじゃない？　畑には持ち主がいるんでしょう？」　厳密に言えばもちろんそのとおりだけど、私はなにも傷つけなかったし、誰もそんなことは気にしていないようだった。畑の持ち主に途中で出くわしたことも何度かあるが、みな私の振る舞いを理解してくれ、畑を楽しんでいる私を面白がってくれた。

たいせつなのは、自分自身で状況を探ってたしかめることだ。前もって自分勝手なきまりを作るのはよそう。もし畑の外に鉄条網があったなら、私はそれが意味することをはっきり理解していただろう。規則に従うのではなく、まず存在に対して親しみを持とう。規則が作られるのは、ものごとが損われたり悪用されたりするのを防ぐためだ。あなたが心やさしい人であれば、わざわざ法律にあたらなくても、おのずから正しい行為をしていることだろう。トウモロコシを盗ったり、根を踏みつけたりしてはいけないことを私は知っていた。それに、歩くのも畝のあいだだけだった。

ただ〝いい子ブリッ子〟になるためだけに、〝いい子ブリッ子〟でいるのはやめよう。そんなものにはなんのリアリティもない。トウモロコシ畑の中に、書く行為の中に、全身全霊で入っていこう。「毎日書くこと」というようなきまりを作って、無感覚にノルマをこなすようなことはやめてもらいたい。

でも、次のことも知っておいてほしい。私の友人の場合、書くことにより深く関わるために生活を変えなければならなかったが、その逆もまた真なりということだ。いったん書くことに深入りしたなら、書き終えたあと、自分の思いを押し殺して、家に戻り、お行儀よく、真実を語らずしれっとしている、なんてことはできない。書くことに誠心誠意没頭するなら、その態度は生活全体にも浸透していくものだからだ。

書いているあいだは背筋を伸ばしているが、ペンを置いたとたん背中が丸まってしまう、というようではだめだ。書くことは真実を語ることの重さを私たちに教えてくれる。そしてそれは、ページから私たちの人生全体へと広がっていくものであり、また、そうなるべきである。さもなければ、物書きとしての自分と実生活とのあいだに大きなギャップが生じてしまう。課題はこれだ。すなわち、書くことから人生を学び、人生から書くことを学ぶこと。この双方向の流れを保つようにしよう。

じゃまものはなし

ニューメキシコ州タオスで行なわれた結婚式に招かれた私は、そこで十年前にラマ・ファウンデーションで知り合った男性と再会した。十年前の夏、彼が自分の手ひとつで畑を耕し豆を植えたことを私は思い出した。現在の彼は建築関係の仕事に就《つ》いている。「もし、自分がほんとうにすべきことをするとしたら、それはものを書くことだと思うね。でも、建築のほうが楽だな」と彼は言った。私はこの本のことや、前日、これまでにない最悪の抵抗にあって書けなくなったことを彼に話した。「悲鳴をあげてタイプライターを燃やしたかったわ。もう二度と書きたくないと思ったのよ」。

彼は私の目をまっすぐ見て言った。「よくわかるよ。でも、他にすることある?」

「なーんにも」――それが真実であることが、私にはよくわかっていた。

結婚、ヒッピー生活、旅、ミネソタやニューヨークへの転居、教職、精神修養……さんざんいろいろなことを試したあげくに、書くことを自分の使命として受け入れたのであれば、もう他に行き場はない。どんなに強い抵抗にあおうと、今日があり、あしたがあり、書く作業は続いていく。毎日が順調に進むことを当てにしてはいけない。そうは問屋がおろさないだろう。素晴らしくはかどる日があるかと思えば、次には、すべてを放りだしてサウジアラビア行きの船に乗りたくなる日が待っている。保証なんてなにもない。調子が乗ってきて、それが三日間続いたとしても、次の日にはなにかがきしみはじめ、歯を食いしばりながらやっとの思いで窮地を切り抜ける破目《はめ》になるかもしれない。

視野は大きく持とう。あなたは書くことを、あるいは書くことについて知ろうと決意した。だったら、なにがあってもそれを続けなさい。でも杓子定規《しゃくしじょうぎ》にはならないように。書くと決めた時間に子供を歯医者に連れていかなければならないとしたら、待合室で書くか、あるいは書くのをあきらめよう。書けなくても、この常軌を逸した、ばかげた、それでいて素晴らしい文章修行に対する自らの決意を、心の底で意識していればいい。文章修行とはいつも友好関係を保つようにしよう。だって、敵よりも仲よしの友達のところのほうが戻りやすいでしょ。十三世紀の禅僧道元はこう言っている。「日々是好日」〔本来は『碧巌録』中の雲門の言葉〕。いい日があっても、悪い日があっても「日々是好日」。これこそが、書くことに向かう際の究極の態度といえる。

二年前、私は〝ライティング・フェローシップ〟〔作家に対する奨励金〕をもらい、一年半のあいだ物書きに専念することができた。でも、四、五日以上続くリズムを見つけることはできなかった。あるときは朝九時から午後一時まで書いた。最初はうまくいったが、続かなかった。午後二時から六時まで書いたこともある。それも、調子のいいのはしばらくのあいだだけだった。こんどは気の向いたときに書くようにしたが、うまくいったりいかなかったりだった。私は毎週スケジュールを変えてみた。昼と夜のすべての時間帯を試すことができたが、どのようにしても完璧にはならなかった。数々の作戦を試してみたが、結局、たいせつなのは、書くこととの関係をぜったいに断ち切らないということだった。

書くことを呼吸のように考えよう。庭いじりをしたから、地下鉄に乗ったから、クラスで教えたからといって、人は呼吸をやめたりはしない。書くこともそれと同じくらい基本的なことなのだ。一九八四年七月二十七日、私はノートにこんなことを書いている。

疲れた反抗的な頭にこうして取り組んでいくことが、自分にとってこの世で最も奥深いことであるのを私は知っている。それは、ときおり感じられる歓びやエクスタシー、瞬間的にひらめく悟りがあるからではない。そうではなく、日々の生活の核心に触れながら、その中に立って書きつづけることによって、私の心はとことん開かれ、自分に対するやさしさが生じ、またそこから、まわりのすべてに対する慈悲が輝きでるからだ。その慈悲は、目の前のテーブルやコーラ、紙のストロー、エアコン、七月の昼にネブラスカ州ノーフォークの道路を渡る人、「4：03」とまたたいている銀行のデジタル時計、私の向かいで書いている友達……といったものに対してだけではなく、渦巻く記憶、心の奥にある憧れ、毎日対処しなければならない苦しみに対しても向かっていく。ペンを紙に走らせて、自分自身の心の中にある思考の固い殻を割り、自分に枷《かせ》をはめるような考え方を捨て去れば、慈悲は内側から自然と現れてくる。

だからこそ、物書きになるのは非常に奥深いことなのだ。それは私が知る中でも最も深遠なことだ。それに代わるものはない、と私は思う。今後もそれは、この世における私の道でありつづけるだろう。このことを繰り返し思い出さなくてはいけない。

大好きな食べ物

思うように筆が進まず、なにもリアルに感じられないような状態になったら、食べ物について書いてみよう。食べ物は具体的なものだし、食べ物の思い出なら誰でも必ずひとつや二つはあるはずだ。なかなか地面から飛び立てないクラスを持ったことがある。どんな練習をしても出てくるのは退屈な作品ばかり。そんなある日、私はいいアイデアを思いついた。「さあ、十分間あげるから、大好きな食べ物について書いてみて」。生徒の文章は生きいきと輝きはじめ、色鮮やかなディテールで満ちあふれた。抽象的なものは一切なかった。教室にはエネルギーがみなぎった。誰でも自分がどんな食べ物を好きなのか知っている。だから、言うことが具体的かつ明瞭になる。

ビート世代の詩人ダイアン・ディ・プリマは、『晩餐と悪夢』(*Dinners and Nightmares*)という本を著している。本の前半は、著者がこれまでに食べたもの、自分で作った晩餐、招待客のリスト、晩餐用の買い物リストだった。オレオ・クッキーを食べながらニューヨークで一冬過ごしたという素敵な話もある。これはいい読み物だ。読者をけっして飽きさせない。みんな食べることが大好きだからだ。

自分のいちばん好きな食べ物について書こう。具体的に書くこと。読み手に細かいところまでわからせるようにしよう。どこで？　誰と？　季節は？　先週食べたものでいちばんおいしかったのは？「火曜の朝、寒い台所で食べたあのバナナが世界を止めた」。テーブル、チーズ、向かいにすわっている青い眼の友人、グラスに入った水、縞《しま》のテーブルクロス、フォーク、ナイフ、白くて厚い皿、野菜サラダ、バター、グラスに入った淡いピンク色のワイン……。これらのものを使って自分自身を記憶と時間と空間と思考の中に広げていき、イスラエル、ロシア、宗教、並木、歩道……に連れ出そう。どこから始めればいいのか、あなたにはもうわかっている。具体的でおいしくてはっきりとした、あなたのすぐ目の前にあるものだ。

読者の中には社交的でない人もいるかもしれない。これまで一度もおいしいものを食べたことがない、一文なしで友達もいない……。もしそうなら、一番街のがらんとしたアパートでこの前食べた古いチーズサンドウィッチについて書こう。二日前からほったらかしのコーヒーにはゴキブリが浮いていた。それがあなたの人生なら、そこから書きはじめるのだ。

孤独を利用する

きのうの夜、私は昔からの友達と居間にすわっていた。「ねえナタリー、孤独についてあなたの言うこともわかるけど、先週はほんとうに孤独に感じられて、こんな気持ちになるのは世界で私だけなんじゃないかと思ったほどよ」。孤独とはまさにそういうものだ。誰か――他の孤独な人々とでもいい――とつながっていることが感じられるなら、そもそも人は孤独など感じないだろう。

私が夫と別居したとき、片桐老師はこう言ってくれた。「あんたはひとりで暮らすべきだ。ひとりで生きることを学ばにゃいかん。誰でも最後はそうなるのだからな」。

「老師、私は孤独に慣れることができるでしょうか?」

「いいや、それはできん。わしは毎朝冷たいシャワーを浴びるが、そのたびにブルッとくる。しかし、それでも立ちつづける。孤独とはつらいものだが、めげずにその中でしっかり立つことを学びなさい」

その年、私はまた老師に会いに行った。「とてもつらいんです。家に帰ってひとりぼっちでいるとパニックになります」。ひとりのときはなにをするのか、と老師はたずねた。とつぜん、それが魅力的なことに思えてきた。「そうですね、お皿を洗ったり、もの思いにふけったり、紙にいたずら書きしたり……ハートを書いてそこに色を塗ったりします。植木の枯れ葉を取ったり、それに音楽もたくさん聴きます」。私は自分の孤独な生活を見つめはじめ、それに興味を抱くようになった。私は孤独と戦うことをやめたのだ。

書くことはとても孤独な作業でもある。誰が私の文章を読んでくれるだろう？　誰が関心を持ってくれるだろう？　ある生徒がこんな質問をした。「先生は自分のために書くんですか？　それとも読者のためにですか？」　ものを書くときには、話さずにはいられないという欲求を人と分かち合うようにしてほしい。孤独の深みから手を伸ばし、他の人たちに向かって自分を表現するのだ。「私が中西部に住んでいたときはこうだったのよ」と。読み手が理解できるように書こう。芸術《アート》とはコミュニケーションなのだから。孤独の痛みを味わったら、こんどはそれを出発点に、いままでずっとひとりぼっちでいた人たちに仲間意識や慈悲の気持ちを抱くようにしてほしい。そして、次に文章を書くときは、誰かのことを思い浮かべ、その人に自分の人生を伝えようという気持ちを抱いて、自分を孤独から引っぱり出すのだ。文章を通じて、別の孤独な魂に手を差し伸べよう。「八月末の夕方、青い車でネブラスカをひとりでドライブしていたとき、私はこう感じたのよ」と。

孤独を利用しよう。孤独の痛みは、世界との結びつきを早く取り戻さなければという切迫感を生み出してくれる。その痛みを原動力にして、表現に対する欲求のもっと深いところまで下りていこう――自分がどんな人間であり、光や部屋や子守歌をどれだけたいせつに思っているかを伝えるために。

青い口紅とくわえ煙草

にっちもさっちもいかないときがある。自分はなんともつまらない存在で、自分自身にも自分の声にも、いつもの平凡な題材にもうんざりしている。喫茶店に書きに行ってもうまくいかないなら、これは明らかに別の手を探すときがきたといえるだろう。髪を緑に染め、指には紫のマニキュア、鼻にピアス、異性の格好をして、パーマをかけてみよう。

実際、ちょっとした小道具で意識状態が変わる場合はよくあるものだ。腰をおろして書くとき、私はくわえ煙草をすることが多い。「禁煙」のサインのある喫茶店なら、煙草に火はつけない。もともと私は煙草を吸わないので、火がついていなくてもぜんぜんかまわない。煙草は私に夢を見させ、別世界に導いてくれる小道具なのだ。もし私が喫煙者だったら、この方法はあまり効き目がないだろう。自分がふだんしないことをする必要がある。

バイク乗りの友達から黒い革ジャンを借りて、ヘルズ・エンジェルスになったつもりで喫茶店に入って、書いてみよう。ベレー帽、室内ばき、ナイトガウン、ワークブーツ、農家の人が着るつなぎ、三揃いのスーツ、国旗（身体に巻きつける）、ヘア・カーラー……なんだっていい。ふだん書くときとはちがった心の状態で腰をおろすのだ。大きな画用紙に書いてみよう。白衣姿で、首から聴診器をぶらさげるってのはどう？　別の角度から世界を見る助けになることならなんでもいい。

故郷に戻る

「ニューヨークで彼女の個展を見たんだけど、なにかが欠けているんじゃない、って言いたかったわ。彼女はネブラスカ州ノース・プラットに帰るべきね。あの子の出身地よ。もう一度、原点に戻る必要があるわね」。友達同士のこんな会話を偶然耳にしたことがある。

自分の仕事を完全なものにしたいなら、生まれ故郷に帰ることはとてもたいせつだ。昔のように親と同居して毎週おこづかいをもらう必要はないが、自分の生まれ育ちを認め、それを深く見つめる作業をぜひ行なってほしい。それを誇りに思い、抱きしめられるように――あるいは少なくとも、受け入れられるようになろう。

私の作家仲間にイタリア系の男性と結婚した人がいる。彼女はいつもご主人の家族のことや食事時の会話について書いていた。私は彼女に言った。「いい作品だとは思うけど、あなた自身の家族はどうなの？　それを聞くまではほんとうのところなんとも言えないわね。白人でプロテスタントで〝中流の上〟の階級に生まれるってどんな感じなのか教えて。

正直言って、私ぜんぜん知らないのよ」。私たちはよく、他人の人生は面白そうで自分のは退屈だと考える。私たちが自分の中心を見失ってバランスをくずすのは、自分にないと感じられるものを追い求めるからだ。そんなときの私たちはまるで餓鬼《がき》のようだ。自分のことしか書いちゃいけないというわけではない。自分以外のものを広い心で見ることができるようになるべきなのだ。「私も豊か、みんなも豊か」という精神で。

私は禅を学ぶようになって何年にもなるが、一年半ほど前から、坐禅をするたびに自分がユダヤ人であることを強く意識するようになった。そのことを片桐老師に話すと、こう言われた。「そりゃそうさ。坐れば坐るほど、あんたは本来の自分になっていくのだからな」。私は自分が属する文化的伝統について知ろうともせず、それに背を向けてきた。その傲慢さにやっと気づきはじめたのだ。

生まれ育ちは文章に影響を与えるが、それは言葉のパターンにも表れる。私の場合、無意識のうちにヘブライ語の祈りや詠唱の持つ繰り返しのリズムを使って書いていることがよくあった。私の家族は信仰が篤《あつ》いほうではなかったが、ユダヤ教の祭日には、身体を揺らしながら祈る人々に交じって私も参加した。幼い子供はとても感受性が強いものだ。そこで言葉のリズムが私の身体に入りこんだのだろう。詩人の偉大さを決めるのは、その詩人が語る内容ではなく、特定の言語のリズムに波長を合わせる能力だと聞いたことがある。

作文練習をしていると、日曜日の礼拝で耳にした旋律、ロックンロールのビート、4Hクラブ〔農村青年教育機関〕の会員として参加した競り市のリズム……といった一定の形式にはまることがよくある。祈禱《きとう》書の言葉そのものを書いているわけではないが、自分に刷り込まれたパターンの上に言葉と感情をのせていっている。そうしたパターンは表現の媒体《ばいたい》となるのだ。それはコンセントにプラグを差し込むのに似ている。

また、家族や地域に特有の魅力的な話し方というのもある。それらを知って、よく味わってみよう。テキサスの男性は私のずっしり重いバックパックを見て、「うーん。こりゃ青いトウモロコシだ！」と形容した。私が間抜けな質問をすると、祖母はよくこう言った。「馬がミカンを生むかい？」家族がよく使う表現をリストアップして、文章の中に織り交ぜてみるといい。

故郷に戻るのは、そこにとどまるためではない。それは自由になるため、自分自身の何物をも否定しないようになるためだ。なにかを否定していると、それは文章にはっきりと表れてくる。たとえば、性に関して不安感を抱いている人の書いたものを読むと、そこでは登場人物も動物も昆虫もすべてが性的ロボトミーを受けたかのように、性についてはまったく触れられていない。あるいはその正反対に、必ず売春婦やポルノ映画について書かれていたりする。あなたは中道を、すなわち安定して書ける地点を求めなければいけない。

自分のルーツをたどる人の話はよく耳にする。それはそれでけっこうだが、しかしルーツに執着してはいけない。根《ルーツ》だけではなく枝も葉も花も存在しており、すべてが広大な空に向かって伸びているのだ。私たちには多くの顔がある。イスラエルで自分の〝ルーツ〟を探していたとき、私は自分がユダヤ人であると同時に、アメリカ人であり、フェミニストであり、作家であり、仏教徒であることに思い至った。私たちは現代の産物である。そのことは豊かさとともにジレンマをもたらしている。現代人は単純な存在ではない。そのため、ルーツを掘り起こすことはいっそう難しくなっている。それでもルーツは——とりわけ、すぐに否定してしまいがちなルーツはたいせつだ。なぜなら、そこにはしばしば苦痛が埋め込まれているからであり、それこそ人がルーツを捨てるそもそもの理由なのだから。

初めてミネソタに越してきたとき、優れた詩人のジム・ホワイトからこう言われた。「なにをしてもいいけど、地方作家にだけはなるなよ」。地方に住んで視野が狭くなる、という罠《わな》にはまらないようにしよう。アイオワの牛が立っている姿や、前かがみになって草を食べるようすを書くときには、ロシアやチェコスロヴァキアの牛たちにも慈悲の気持ちを持とう。彼らもやがては殺され、わき腹の肉を料理され、シチューになって器や小皿に盛られ、東西両陣営の人間に食われるのだから。地域に深く関わってもいいが、それだけで終わってはならない。好奇心を刺激して、世界をより広く、細かく観察することだ。

ユダヤ教について勉強を始めたとき、私はユダヤ教の祈りを学ぶだけでは満足できなかった。ホロコーストの苦痛、イスラエルの歴史、同胞たちの流浪の物語のすべてに向き合わなくてはいけないと感じたのだ。これらを通じて、私は初めて、さまざまな政治的活動やアメリカの外に住む人類の苦しみに深く共感できるようになった。一民族とつながりを持つ能力の中に、全人類に慈悲を感じるチャンスが潜《ひそ》んでいる。イスラエルにいたとき、人生がつらいのはユダヤ人だけではなく、アラブ人も苦しんでいることがよくわかった。自分のルーツを見つめていくうちに、私はこの地を歩んだすべての人の痛みがわかるようになった。

だから、故郷に戻ってみよう。「私の叔父は第二次大戦で大佐だったのよ」と自慢するためではなく、同胞たちの中に明晰な意識で静かに入っていき、そうすることで人類全体とその苦闘を理解しはじめるために。

物書きというものはみな、程度の差はあれ、人に知られたがっている。だからこそ作品を発表するわけだ。それは読者をあなたの心の奥に引き込むチャンスである。あなたは、カトリック教徒であること、男であること、女であること、南部人であること、黒人であること、ホモセクシュアルであること、あるいは人間であることのなんたるかを、自分自身の体験にもとづいた深い知識によって描くことができる。その主題については、他の誰よりもよく知っている。こうして自分自身を知り、その認識からものを書いていくなら、それはきっと世界に対する貢献となるだろう。なぜなら、あなたはこの世に理解をひとつ増やしたことになるのだから。

おはなしサークル

タオスにいたとき、〝おはなしサークル〟という集まりを何度か開いたことがある。タルパやカーソン、アロヨ・オンド、アロヨ・セコなどの丘陵地に住む友達に声をかけて私の家に集まってもらった。みんな床に輪になってすわった。ドアの外から隣のビル・モントヨの飼っている羊の鈴の音が聞こえてくる。彼はまた羊を私たちの庭の近くまでこっそりしのび込ませて、そこに生えている並はずれて長く伸びた雑草を食べさせているのだ。

十人ほどで作った輪の真ん中に、火をともしたろうそくを置いた。ろうそくに火をともすと不思議な雰囲気がかもし出される。私はみんなに向かって言った。「心から幸せだと思えたときの話をしてちょうだい」。また別のときには、「自分の大好きな場所について話して」「どうしようもなく落ち込んだときのことを聞かせて」「あなたの知っているいちばん変わった話をして」「話したくてしようがないことを聞かせて」「この一週間で魔法にかかったような瞬間があったら、そのことを話して」……。

ひとりひとり順番に話していった。人から聞いた話はいつまでも心に残るものだ。あれから七年もたつが、まだ覚えている話がいくつかある。

リックの話

ぼくの育ったニューヨーク州ラーチモントの家の裏庭には、大きなニレの木があった。六歳のとき、木のてっぺん近くの、お気に入りの枝まで登ることができた。秋も終わりで、木の葉が散ったあとだった。ぼくは大好きなこの枝に横たわって、それを両腕で抱きしめた。目をつぶると風が吹き、大きな枝をぼくもろとも揺さぶった。ぼくはあの木に恋していたときの気持ちを、いつまでも忘れないだろう。

ラーフランの話

ぼくはある夏、オレゴンで四カ月間、森林警備員をした。その期間はずっとひとりで過ごし、まわりに人がいなかったので、夏中ほとんど服を着なかった。ぼくは森の奥深くに入った。夏が終わるころには真っ黒に日焼けし、心は穏やかになっていた。八月の末、ぼくはしゃがみ込んで木の実を採って食べていた。とつぜん肩をなめられている感じがしたので、ゆっくり振り返ると、鹿がぼくの背中の汗をなめているんだ！ ぼくはじっとしていた。すると鹿が脇に寄ってきて、ぼくと一緒に静かに木の実を食べた。驚いたのなんのって。動物がそこまで自分を信頼してくれるとはね！

ジョセフの話

これはぼく自身の話じゃない。友達のルームメートの話だ。名前はビルとでもしておこう。ビルはフランス人だった。彼は変わり者で、完全にバランスがくずれていた。ニューヨークでイルカの研究をしていて、イルカが大好きだった。ぼくたちは彼を「科学者」と呼んでいた。当時はＬＳＤが出まわりはじめたころで、まだリセルグ酸《アシッド》と呼ばれていた。仲間の中には試してみる者もいた。みんな「科学者」のいるところではやらないように気をつけていた。というのも、彼がＬＳＤをやったら完全にあっち側に行ってしまうんじゃないかと思ったからだ。

ところがある日、彼がＬＳＤに手を出したのだ。どのような経緯だったのかは知らないけど、とにかく彼はやってしまった。ぼくらはみんな「やばい！」と思ったけど、できるだけリラックスしようと努めた。彼は上着を着て――夜だったんだ――アパートを出た。仕事場に行って、中に入り、プールで泳ぐイルカをしばらく見ていた。彼が誓って言うことには、メスのイルカがマリリン・モンローに見えはじめたそうだ。

胸が大きくなり、口紅をつけて、彼をプールに手招きしたという。彼はまっ裸になってプールに飛び込み、彼女と愛を交わしたそうだ。彼は嘘じゃないと言っていた。この話を聞いたぼくらはみんな気味が悪くなった。彼のルームメートだったぼくの友達はすぐに部屋を空けた。

ぼくはビルの話がほんとうだったんじゃないかと思う。というのも、何年かあと、カリフォルニアのヴェニス・ビーチに友達と住んでいたとき、ぼくもしょっちゅうアシッドをやっていたからだ。六〇年代半ばのことで、ぼくらは家中を派手な色でサイケデリックに塗った。トイレはアボカドのような緑色で、そこにある金魚鉢には金魚が二匹いた。ある日ぼくはアシッドを少しやりながらビーチを散歩した。家に戻ってトイレに入り、金魚を見た。すると一匹がとつぜんブリジット・バルドーに変わったのだ。ぼくは無意識に手を水槽の中に入れ、金魚の尾ひれをつかみ、わけもわからずに丸飲みしてしまった！　驚いたよ。

ブレットの話

ぼくは祖母のクロイをイリノイ州カンカキーに訪ねた。そのとき彼女は八十二歳で、ぼくとはもう四年も会っていなかった。彼女が大好きだったぼくは、再会にわくわくしていた。この訪問に彼女はきっとびっくりすることだろうとぼくは思った。当時住んでいたミネソタから祖母の住むところまでヒッチハイクで行った。ダンキンドーナツの向かいにある祖母の家に着くと、彼女は裏庭で前かがみになって赤いキンギョソウの花を摘《つ》んでいた。「クロイおばあちゃん！」とぼくは叫んだ。彼女は振り返って言った。「ブレット、ちょっと来てよ。見せたいものがあるの」。近づいていくと、彼女はキンギョソウの花をぎゅっとつぶして、「ほらウサギみたいに見えるでしょう」と言うのだった。そのあと彼女はぼくの手を引いて、大事にしている二本のモモの木のところに連れていった。「これでピーチジャムを作ろうと思ってるのよ」。ぼくは言った。「おばあちゃん、四年ぶりなんだよ」。彼女は腕を伸ばして木からモモをひとつ採り、ぼくに見えるよう高く持ち上げると、初めてこう言った。「もちろん、おまえに会えなくて寂しかったよ」。ぼくらは家の中に入った。彼女はおなじみのダンプリング〔小麦粉の皮で果実を包んで蒸したり焼いたりしたお菓子〕でぼくをもてなし、近所の人の話、父の話、教会に行けたらいいのにというような話をした。ぼくにしばらく会っていなかったのが嘘のような話しぶりだった。

私はこの四つの話をいまでも鮮やかに思い出す。こうした話はとてもたいせつだ。友達と「おはなしサークル」を開いてみよう。ろうそくが一本あればいい。ドラッグもお酒もいらない。ひとたび話が始まれば、それだけでいい気分になれるはずだから。あとでひとりになったら、話したことを文章にまとめよう。最初は話すように書いて、文章に凝らないこと。こうしておけば、作品を書きはじめるきっかけになるはずだ。

作文マラソン

毎週一回二時間、八週間にわたって行なわれる創作教室は、たいてい四時間連続の作文マラソンで締めくくられる。このマラソンはクラスでしかできないわけじゃない。私は友達と二人だけで一日中やったこともある。うまくやるこつはこうだ。まず参加者全員が、決められた時間に徹底的に書くことを誓う。それから細かい予定を決める。たとえば、最初に十分間のセッション、次にまた十分、それから十五分、二十分を二回、最後に三十分という具合だ。最初の十分のセッションを終えたら、書いたものをクラスで読み合う。コメントはしない。クラスが大きくて朗読に時間をとられすぎる場合は、交替で読むようにする。つまり、ひとりが毎セッション必ず読むのではなく、一セッションおきに読むのだ。朗読が終わるとふつう沈黙が訪れるが、「素晴らしい」などのコメントはしないこと。「言いたいこと、よくわかる」というのもだめ。いいとも悪いとも言わず、ほめもけなしもしない。たんに書いたものを順番に読んでいくだけだ。マラソンではふつう、ひとりが二度読むことになるが、パスしてもいい。そこは融通をきかせよう。パスの回数を増やしたい、または減らしたい人がいれば、それも認めていい。マラソンをすると、人はたいてい考えなくなる。書いて朗読してまた書いて、と続けていくうちに、まわりのことを気にしなくなる。全員が同じ立場にあり、コメントされることもないので、書きたいことが気軽にどんどん書けるようになる。

しばらくすると、自分の声が自分から離れていくように感じられてくる。あることを自分が言ったのか向かいの人が言ったのか、はっきりしなくなるのだ。その場でコメントすることが許されないので、誰かに感想を伝えたいときには、次の回でそれを文章にする。「ベヴ、君の言いたいことはよくわかる。ぼくの両親も夕食の席で、食べかけの食事を前によく喧嘩をしたものだ。うちの床も緑色のリノリウムだった」。人の作品にコメントしないことで、話したいという健康的な欲求がふくらんでくる。このエネルギーは次回の作品に注ぐことができる。書いては読み、また書いては読もう。こうすることで、自分の中の検閲官は脇に押しやられ、気になっていることを書くためのスペースが生まれてくるのだ。

教室の真ん中には提案箱を置き、生徒がテーマを書いた紙を入れられるようにしておく。新しいラウンドの始まりに、誰かが箱から紙を取り出し、その回のテーマをみんなに伝える。そのテーマについて書かなくてはいけないということではなく、話題に詰まったときの助けにするのだ。驚くことに、いったん〈読む－書く－読む〉といったオートマチック状態に入ると、どんなテーマでも書けるようになる。またテーマは、手を動かすとっかかりにもなる。「水泳……か。私は水泳が得意だし、自信もある。さて。私がほんとうに書きたいことは、どうやって自分が白い光になっていくかだ……」というように。水泳についてまったく書くことがないと思えても、とりあえず書きはじめよう。子供のころ、映画館でお父さんの隣にすわり、ポップコーンの油で手をギトギトにさせながら、どれほどエスター・ウィリアムズ〔元水泳選手のハリウッド女優。主演作に『水着の女王』（*Neptune's Daughter*）などがある〕に憧れたか……。

初めてのマラソンでは誰でも緊張する。書くことなんてないんじゃないか、そんなに長時間続けて書けるものだろうか、と不安になる。しかしいったん始めてみると、時間のたつのが早いことにみんな驚くものだ。「一日中だって書けるぞ！」という人も出てくる。ミネソタ大学で行なわれた一週間のワークショップで、私は十二人の生徒に初日の朝からマラソンをさせた。初めのうち、みんなはいやがって、私を鼻であしらった。しかしマラソンが終わると、ひとりの男性が調子よくこう言った。「さあこれから昼めしにして、午後からまたマラソンだぞ」。結局、その一週間はマラソンに明け暮れた。夜の十時から深夜一時まで、あるいは朝七時から正午まで行なったりもした。

その週に誰かが「初めての性体験」と書いた紙をテーマ箱から引いた。ひとりの女性は、それ以来ワークショップの残り時間のすべてをこのテーマにかけた。初体験から始まって、第二の性体験、第三、第四……。彼女はいまでもミネソタのヒル・シティのレインボー食堂で、七百八番目の性体験について書いているにちがいない。高校生がすぐそばで玉突きをしている。彼女は席をキープできるように、ペプシコーラをオーダーしつづける。いまが昼だか夜だか、彼女にはわからない。その手はノートの上をひたすら動きつづける。彼女はいまにも悟りを開きそうだが、ちょっと心配もある。「彼女、戻ってくるかしら？いつかは戻ってくるかしら？」

マラソンは自分を切り開く体験だ。マラソンをやったすぐあとは、丸裸でコントロールを失ったような気分になることが多い。私自身の場合は、これといった理由もないのにちょっと頭にきたりする。自分を守っている防具のど真ん中に大穴をあけられ、不意にあるがままの自分がむき出しになった感じだ。マラソンのあと、人とごくふつうの会話（天気のことや作家になることの素晴らしさなど）をしようとすると、自分の顔がなくなっているような感じになる。でも心配は無用。すぐにその状態は去り、防具で身を固めた意地っ張りのあなたが戻ってくる。

マラソンのあとは、少なくとも三十分はひとりきりの時間を持つようにしたい。身体を動かしたり、なにか具体的なことをするといい。マラソンのあと、私はとつぜん皿洗いに熱中したり、芝生の種を蒔こうとしていた場所に豆の種を、気が触れたように十二列も蒔いたりすることがある。先週は私の家でマラソンをやった。生徒がまだひとり残っていたのに、私は掃除機を取り出し、みんながその日すわった居間のじゅうたんを掃除しはじめていた。

マラソン後の裸にされた気分は、坐禅の接心《せっしん》（集中的瞑想）を行なったあとの気分によく似ている。七日間坐って瞑想したあと、私たちは仏様と他の修行者に向かって最後のお辞儀をし、別の部屋でお茶とケーキをいただく。瞑想中の長い沈黙が終わって、私たちはようやく話をすることが許される。私はいつも、みんなに顔を見られないようにケーキを顔に塗りたくりたくなる。接心のあと、私を訪ねてきた友達はこう言った。「なんだか、ピカソがキューービズムのタッチで描いた女性と一緒にすわってるような感じよ。あなたのすべての面が同時に光ってるの！」

ひとりきりで数時間書いたあとも、これとよく似た気分になる。でも、別に心配はいらない。そこまでオープンになることに私たちが慣れていないだけのことだ。だいじょうぶ、それを受け入れよう。そんな状態に身を置いてみるのも悪くない。

自分の作品はちゃんと認めよう

創作グループで起こるある奇妙な現象を、私は幾度となく体験している。並はずれて素晴らしい作品を書いても、書いた本人がそのことにまったく気づかないのだ。どれだけ私がほめようと、他の人たちが好意的な反応を示そうと関係ない。その作者は、それがいい作品だという事実につながりを持つことができない。否定こそしないが、当惑した表情ですわっている。クラスで言われたことはなにひとつ信用できなかった、とその人が言うのをあとで人づてに聞いたりもする。私は何年もこんな経験をしてきている。自分の作品のよさに気づかないのは、抑圧された不安定な性格の持ち主に限ったことではない。

誰の中にも自信に満ちた〝作家の声〟が存在するが、みんなその声とうまくつながりを持つことができないでいる。また、つながりが持てて素晴らしいものが書けたときでさえ、それを自分のものだと主張しようとしない。すべての人がシェイクスピアだとは言わないが、誰にでも心の底から出てくる純粋な声があり、それによって尊厳を持って詳細に人生を表現することができるのだ。どうやら、自分の偉大な可能性と、自分自身を――ひいては自分の作品を――見る目とのあいだにはギャップがあるようだ。

この事実について思い知らされたのは、六年前、ミネソタ禅瞑想センターのために八週間のチャリティ創作教室を行なったときのことだ。参加者は全員、子供が使うような簡単な言葉で家族について書いた。それが課題だったのだ。制限時間は十五分。生徒は十二名。時間がくると、書いたばかりの作品をひとりずつ朗読した。私の朗読が最後だった。私はそのとき読んだものをあとでタイプして、「地球の回転をゆっくり見ること」とタイトルをつけた。それは、水を飲む祖母、子育てをする祖母、靴下もサラミも塩も持たずにこの世を去った祖母について書いたものだ。読み終わると教室には長い沈黙が訪れた。

私が教師として言うことのすべては、とどのつまり、自分の声を信頼し、そこから書いてほしいということだ。そのことを言うために、私はさまざまなトリックを用いて、さまざまなアングルから攻めてみる。いったん生徒たちが突破口を見つけると、私の教えることは七面鳥料理の詰め物に、すなわち、ちょっとした引き立て役にすぎなくなる。七面鳥はすでに焼き上がっているのだ。そのとき私は安らぎと幸福を感じていた。生徒ひとりひとりが抵抗を振り切って、真摯《しんし》な感情のこもった作品を書くことができたからだ。私にはもうなにも言うことがなかった。

ふと教室を見まわしてみると、誰もが不思議そうに私を見つめ、次の課題に進むのを待っているではないか。私は唖然とした。みんな、たったいま自分がなにを書いたのか、ちっともわかっていないことに私は気づいた。「いま、みんなはすごく生きいきした作品を書いたのよ。それがわかっていないみたいね。どう？」　彼らはただ私を見つめるばかりだった。

これは初心者に限ったことではない。具体例を二つ挙げてみよう。最初は、ある女性詩人の話だ。彼女はとても優れた詩人で、その作品は広く愛読されてもいる。私は彼女のことを「ミネソタのダーリン」と呼んでいる。彼女が書くのは、自分の生活、宣教師の父親、七人の息子、朝の食卓などについてだ。先日行なわれた彼女の朗読会は満席だったばかりでなく、立ち見席まで売り切れた。それなのに、「朗読を終えて家に戻るときはとても落ち込んでいたわ。だって、みんな私の詩をあまりに気に入ってくれるんだもの」と彼女は言う。「私はまた詩でお客さんをだましたのよね」。

もうひとつの例は、日曜日のクラスに来ている作家だ。小説家兼雑誌編集者である彼女は、優れた戯曲も二作発表しており、そのひとつはミネアポリス・トリビューン紙で〝批評家推薦作〟になっていた。私のクラスでの〝タイム・ライティング〟（制限時間内創作）で、彼女は素晴らしい作品をいくつか書いた。私は当然、彼女自身もその作品の質に気づいているものと思っていた。なんといっても、彼女は経験を積んだ作家なのだから……。一カ月後に彼女と朝食をともにしたとき、私は彼女がクラスで書いた作品のひとつに触れた。彼女は、私がその作品を優れていると思ったことにびっくりしていた（実際、「優れている」という言葉では形容しきれないほど優れた作品だった）。彼女自身なにもわかっていないことに私は驚いた。彼女がそれまで仕事で書いてきたものは、すべて彼女自身やその人生体験とは関係のないことだった。創作について彼女は、「この手の文章は、自分のすべてを書くものでしょ」、だから自分にはよく評価できない、と言うのだった。

片桐老師からこう言われたことがある。「私たちはみんな仏だ。あんたが仏であるのが、わしにはわかるよ。たぶん信じてはくれんだろうが……。自分が仏に見えるようになったとき、あんたも目が覚めるだろう。悟りとはそういうもんじゃ」。自分の人生を理解し、評価することはとても難しい。自分の外にあるものを見るほうが、よほど簡単だ。自分の書いた優れた作品を自分のものと認める過程において、私たちは、自分の本性とそれを知覚する意識の能力とのあいだにある見えないギャップを、少しずつ埋めていく。そうして、いま現在の自分自身を、創造的な素晴らしい人間として受け入れることを学ぶのだ。時がたってからこう気づくことがよくある。「あー。あのとき私はよくやってたんだ」。でもそれは過去のものになってしまっている。私たちは遅れをとっているのだ。

みんなにうぬぼれ屋になれと言うつもりはない。私が言いたいのは、自分の内によいものがあることを認め、それを表に出して、素晴らしいものを自分の外に創造しようということだ。内なる豊かさと、自己像と、作品とが結びつくなら、アーティストのほとんどが見逃しがちな、静かな平和と自信が得られるだろう。「作品はだめ、自分もだめな人」でも「作品はいいが、自分はだめな人」でも「作品はだめだが、自分はいい人」のいずれでもない。「自分はいい人間だ。だからこそ、抵抗を打ち破って光り輝き、よいものを書き、それを自分のものと認めることができるのだ」と言ってほしい。自作のよさに気づくことに比べたら、世間が作品を認めてくれることはたいして重要ではない。自作を認識することはきわめて重要なステップであり、幸福感を与えてくれるものでもある。自分はいい人間であり、書いた作品がよければ、それはほんとうによいことなのだ。自分の作品はちゃんと認めて、それに自信を持とう。

自分を信頼する

火曜のクラスで、私たちはある人の日記から抜きだした二ページを読んだ。それは実は私の日記だった。そのページを選んだのは、何カ月か前にそこから言葉を抜きだして詩を作ったからだ。べつに傑作というほどのものじゃない。ノートの中に埋もれたかすかな鼻歌のような、ひっそりとした詩だが、しかし、自分をどこかちがう世界に連れ去ってくれるような、そんな一篇だ。私はクラスの一週間前にこのページをみんなに配り、その中から詩を探し出すという課題を与えておいた。なにもないと思ったらそう言ってもよかった。

「ナタリー、ぜんぶガラクタだよ」と。
　五、六人の生徒がおのおの見つけた詩を読んでくれた。詩には少なくとも四つのタイプがあった。日記の前半部からとったもの、中間部からとったものがいくつかあり、なかにはコピーミスでたまたま重なって印刷された他の作品を引いたものもあった。「どこに行こうとニューメキシコの丘はついてくる」という一行は、どの生徒も共通に選んでいた。

どの詩もよくできていた。ただ、私が前に作ったものも含めて、素晴らしいと言えるものはなかった。

　ある作品を百人の手に渡せば、百の異なった意見が返ってくる。それらはまったく異なったものではなく、さまざまなヴァリエーションといったものだろう。だからこそ、自分自身との関係の深さがそこで重要になってくる。しかし、他人の言うことにはよく耳を傾けなければいけない。自分のまわりを鋼鉄の箱で囲わず、言われたことはとりあえず受け入れよう。それから自分自身の決断を下せばいい。そうして見出した詩は、あなたの詩であり、あなたの声となる。明確なルールがあるわけじゃない。あるとすれば、自分自身との関係だけだ。自分はなにを言いたいのか？　自分のなにをさらけ出したいのか？　作品の中で自分を裸にすることは、コントロールを失うことであり、それはいいことだ。そもそも私たちは自分をコントロールなどしていない。人はあるがままのあなたを見る。ときには、自分をさらけ出しながら、そうしていることに気づいていない場合もある。これはつらいが、コチコチになってなにもさらけ出せないことのほうが、もっとつらい。それにコチコチになると書くものもひどくなる。

　作品の真価は、ときの経過が決めてくれる。書いたものに自信が持てないときには、しばらくのあいだそれをしまっておこう。半年後に読みなおしてみると、自分の文章がよりはっきりと見えてくるはずだ。自分がいくら気に入っていても、誰も気にかけてくれないときもある。私には窓について書いた詩があるが、その朗読を聞いた人は例外なく駄作だと言う。私には光り輝いているように思えるのだが……。ノーベル賞でも取ったら、授賞式のスピーチにこの小さな宝石を引用して、満足感に浸ってやろうと思っている。

自信の持てなかった作品を半年後に読みなおしてみたら、やっぱり駄作だった、というときでも心配することはない。その中の優れた部分は、あなたの中のこやし置き場で肥料に変わりつつあるからだ。よいものは必ず表に表れてくる。忍耐が肝心だ。

サムライ

きのうの日曜夜のクラスで私は、書く行為や私たち自身のサムライ的要素について教えはじめることにした。それまでの私は、クラスではいつも生徒を勇気づけ、肯定的な態度をとってきたと思っている。それは創造的な空間に一緒にいるせいだ。その勇気づけはいいかげんなものではなく、批判的でないオープンな創造性の場から自然に出てきたものだった。そこでは、あなたの書くものはどれも優れている。ときには「優れている」以上の場合だってある。それは完全に燃焼しつくして、光り輝く第一の思考にたどり着いたものだ。生徒たちはときどきこう言う。「先生、ちゃんと批評してください。ほんとうにそう思っているんですか」。そういう人は、私たちが別々の領域にいることに気づいていない。私は創造性の領域にいるが、彼らは創造者と編集者を一緒くたにするのに忙しく、おまけにその戦いに私を引きずりこもうとしている。そんなものに私は関わりたくない。ひどい気分になるからだ。

しかし、きのうの晩はサムライと関わることにした。生徒のトムが持ってきた雑に仕上げた作品をコピーして配り、それをみんなで読んでみた。最初に、その作品のどこにエネルギーがあるかを探した。それはおもに第三パラグラフにあった。ウィリアム・カルロス・ウィリアムズがアレン・ギンズバーグにこう言っている。「詩の中にエネルギーを持った行が一行でもあったら、他は捨ててその行だけを残しなさい」。その一行が詩になるのだ。詩は生を運ぶ車、生命力の容れ物だ。一行一行が生きていなければならない。生きている部分だけを残し、残りは切り捨ててしまおう。

生徒たちはしばらく第三パラグラフをいじってみた。それほど長い時間じゃない。三分ぐらいだ。それでじゅうぶんだった。第三パラグラフにはエネルギーがあったが、熱さに欠けていた。トムならここまでいけるだろうと予想できる熱さの半分にも達していなかった。私は彼に言った。「第三パラグラフにはたしかにエネルギーがあるわ。しばらくいじってみるのもいいでしょう。こやしの中に種を蒔いて将来に備えるのもいいかもしれない。でも、二、三週間して見なおしてみても、まだどうしても燃え切れないという場合もあるわよ。とりあえず時間はかけたから、サムライらしく先に進みましょ」。最近クラスに入ったばかりのシャーリーが口をはさんだ。「ちょっと待って。サムライってなんですか?」トムは彼女のほうを向いて吐き出すように言った。「切り捨てることだよ!」

サムライの空間にいるときは、厳しくなくてはいけない。それは意地悪ということではなく、真実の厳しさを持つということだ。そしてまた、真実は最終的には人を傷つけるものではない、ということも真実だ。それは世界をより鮮明にし、詩をいっそう輝かせる。へたな詩を材料に二十分も批判するようなワークショップに参加したことがある。そんなのはばかげている。時間の無駄だ。死んだ馬を鞭打ってまた走らせようとするようなものだ。自信を持って言えるが、そのへたな詩の作者だって、そんな詩ばかり書いているわけじゃない。目の前にある駄作がいくらどうしようもないものでも、その作者は二度といい作品を書けないなどと考える必要はない。

あなたは勇気を持って正直になっていい。「これは素材はいいけど、うまくいっていない」と。そして先へ進もう。喜んで手放すことはよい修行だ。コロンビア大学時代のアレン・ギンズバーグが、教授である文芸評論家のマーク・ヴァン・ドーレンに歩み寄って、「どうして作品をもっと批判しないんですか?」と訊いた。教授はこう答えたという。「自分の嫌いなものについて、どうしてわざわざ話さなきゃいけないのかね?」

書いているうちに心の中のもやが晴れて、明るく澄んだ気分になることがときどきある。ただし、書いている最中に活気がみなぎってくれれば、いつも立派な作品が書けるというわけではない。けっしてそうじゃない。それが意味するのは、ただ私たちが目覚めたということにすぎない。パーティーで遅くまで飲みすぎた翌日の、日曜の朝のように。目は開いたけれども、意識はまだしゃんとしていない。自分の書いたもののどこが生きいきとし、目覚めているかを知るのはいいことだが、最終的に詩や散文になるのは、書いたものが燃焼を経て発光する地点なのだ。そのちがいは誰にだってわかる。ものごとの根源や第一の思考から生まれた文章は、人を目覚めさせ、活性化するからだ。私はクラスで何度もそれを目にしてきた。真に熱い作品が読まれると、それは誰をも興奮させるものだ。

自分の作品を素直に見るように心がけよう。うまくいくものはうまくいく。うまくいかなければ、老馬に鞭打つのはやめること。そして書きつづけよう。別のものがまた出てくるはずだ。世の中にこれ以上悪文はいらない。優れた一行を書けば、あなたはきっと有名になれるだろう。ぬるま湯的な作品をたくさん書いても、読者を居眠りさせるだけだ。

読みなおしと書きなおし

書いたものを読みなおすには、しばらくあいだを置いたほうがいい。時間が経過すると、自分と作品とのあいだに距離ができ、客観的に見られるようになるからだ。練習用のノートを一冊使い切ったなら（たぶん一カ月はかかっただろう）、腰をおろして、他人になったつもりでそれを読みなおしてみよう。「この人、なにを言おうとしてるんだろう？」と好奇心を持つようにする。気持ちを楽にし、読みたかった名作を読むようなつもりで取りかかろう。一ページ一ページ、ていねいに読む。書いた当初はつまらないと思えたものでも、こんどはその肌合いやリズムが感じられてくるはずだ。

ノートを読み返してみると必ず、「私はこう生きていたんだ」「私はこういうふうに感じ、考え、見ていたんだ」と気づかされる。書くことは無益で時間の浪費なんじゃないかと思えることがよくあるだけに、それはとても強い自己肯定になる。こうして、椅子にすわっているあなたは、とつぜん自分のありふれた生活に魅了される。平凡が非凡に変わる。これこそが芸術の持つ偉大な価値である。人はそのとき、いま生きているこの人生に目覚めるのだ。

ノート全部を読み返すことの価値は他にもある。自分の心の動きが見えることだ。もっとがんばれたはずなのに、怠けたり回避したりして結局そうしなかった箇所、どうしようもなく退屈な箇所、「こんな人生はいや。私ってブスみたい。もっとお金があればいいのに……」とグチばかり書いているうちに、どんどんどつぼにはまっていっている箇所、などを見てみよう。たっぷり時間をかけてこんなグチを読んだあとには、グチの深みにはまりこんでしまうのではなく、書いている最中にすばやく別の話題に飛び移る方法が身につくことだろう。

作文練習をしているあいだ、うまく書けたかどうかまったくわからない場合もよくある。私自身もときどき、書いた記憶のない詩をノートの中に見つけたりする。意識はつねに状況をコントロールしているわけではない。主観的には書きながら退屈を感じていても、実は素晴らしい詩ができあがっていて、一カ月後にノートを読み返して初めてそれに気づくということだってあるのだ。

あるとき私は仕事場で書きながら、幸福感に満ちてとてもいい気分だった。そのとき私は自分にこう言いつづけた。「一日中ろくなものを書いていないっていうのに、なにがそんなにうれしいの?」 四日後、私は日記のクラスで教えていた。私は常日頃みんなに、「私だって、ノートにはゴミみたいなものをたくさん書いているのよ」と言っているが、生徒のひとりがその証拠を見せろと喰ってかかってきた。「あの日、仕事場で書いたものがいい証拠になるぞ」と思った私は、その日のページを開いて朗読しはじめた。驚いたことに、それはときの経過を題材にした感動的な作品だった。引っ越したり亡くなったりして私のもとを去っていった人たちの名を呼ぶものだった。読んでいくうちに私の声はどんどん大きくなっていく。私は唖然とせざるをえなかった。

あの日の仕事場で、私自身はいいものが書けたなどとは思っておらず、いらいらしていた。しかし、うるさく羽音を立てる蚊の群れのような、とりとめのない批判的思考のもとで、私の手はせっせと第一の思考を記録し、存在感のある作品を書いていたわけだ。こういうことは実際に起こりうる。私たちの中のある部分は、ブンブンいう蚊の群れをくぐり抜けて、心の内にあるとても澄みきった場所にたどり着くことができる。否定的なものや内なる批評家のとめどないおしゃべりを無視して、手をページの上で動かしつづけることができるのだ。しかし私たちの意識は、蚊との格闘に忙しすぎて、いいものが書けてもそれに気づかない。仕事場で過ごしたあの日、しかし私の中のなにかがそのことに気づいていた。だからこそ、私はずっと鼻歌を歌っていたのだろう。私たちの意識は自分の子育てに始終批判的な母親とよく似ている。母親の批判とは裏腹に、あなたの見た彼女の子供たちは可愛く、幸せそうだ。お母さんがしっかりやっている証拠だ。書くことに関して言えば、母親（とりとめのない考え）とよい子供たち（あなたの作品）はいずれもあなたの中に存在し、同時に働いているのだ。雑念をやり過ごしながら書きつづけることは、いい練習だ。一カ月もたてば、あなたは自分のノートを読み返したときに、よくできた作品を意識的に認められるようになるだろう。その時点で、あなたの無意識と意識とが出会い、お互いを認め合い、ひとつにまとまる。それが芸術である。

ノートを読み返すとき、よく書けている部分は大きく丸で囲もう。よい部分はたいていページの中で光っているから、すぐわかるはずだ。それは将来書くときの出発点にもなるし、それだけで詩になるかもしれない。その部分をワープロで打ってみよう。活字にしてみることで、それがほんとうによく書けているのかどうかがはっきりする。心ここにあらずで書いた曖昧な部分だけ捨て去ればいい。言葉を変えてはいけない。この練習の目的は、自分自身の声を信頼する力を深めていくことだからだ。書いたときにほんとうの自分が出ていたなら、その文章はそれだけでもう完璧だ。いまさらエゴに言葉をいじらせて、その響きをよくしたり、自分の望む響き――たとえば完璧な、幸せな、すべてを支配している ような響き――に変える必要はない。これは裸の文章だ。それは自分自身を見つめ、ほんというの自分をさらけ出し、あるがままに自分を受け入れるチャンスなのだ。「私は不幸だ」というなら、それを隠そうとしてはいけない。自分がそう感じているのなら、判断抜きでそれを受け入れよう。

編集や推敲が必要な部分は当然あるだろう。でも〝編集者〟という言葉を聞くと、人々はいつもこう考える。「わかった。自分の中の創造者にやりたい放題やらせてきたけど、こんどはまともな、ふつうの、理性的な心の状態に戻って、ものごとをきちんとさせるよ」。そして、ツイードのスーツを着た、なにごとについても批判的な文学博士を東海岸から呼び寄せる。そんなことはしちゃだめ。ツイードのスーツを着たその人物は、実は、どんな形であれものごとをコントロールしようともくろむエゴの仮の姿なのだ。あなたの文章には、エゴが勝手に手を加えたり、うるさく口をはさんだりする余地はない。そのかわり、自分の作品を読み返すときにはサムライになろう。それは、存在感のない部分を切り捨てる勇気を持った戦士だ。雑念を捨てて敵を真っ二つに切るサムライのように、書いたものを読み返すときは感傷的な態度を捨てること。冴えた明晰な頭で作品を見つめよう。とはいっても、なにかとちょっかいを出したり、うるさく口をはさむのが人間の常だ。だからエゴにはなにか仕事を与えておくといい。原稿のワープロ打ち、封筒の宛名書き、切手貼りなどはどうだろう。とにかく、書くときはエゴを隔離しておくことだ。

文章の修正（revision）は、「もう一度（re）、絵を描きなおす（envision）」ことだと思えばいい。自分の作品にブレや曖昧さがあるなら、その絵をもう一度見なおし、細部を補い、心に描いたものに近づければいいのだ。机に向かい、制限時間を決め、二回目、三回目、四回目に書いたことを、もとの作品につけ加えていこう。たとえば、パストラミ〔燻製牛肉〕について書いているとしよう。最初の制限時間内に書いたものがいい出来であっても、あなたはもっと言いたいことがあると感じている。一日、二日、または一週間おいてから、またパストラミについて二、三回、制限時間を決めて書こう。繰り返しになることを恐れてはいけない。書いたもの全部を読みなおし、それぞれのよい部分を抜き出してひとつにまとめよう。これは切り貼り作業によく似ている。それぞれ文章から力のある部分を切り抜いて貼り合わせるのだ。

書きなおし《リライト》をするときも、制限時間内に書くときの手順とルールが応用できる。そうすることによって、以前書いた作品とあらためて関われるようになる。蚊の群れの真っただ中で血を吸われないよう雑念を叩きつぶしているよりは、第一の思考ともう一度つながりを持とうとするほうがずっといい。リライトのときはこうしたほうがはるかに効率的だし、エゴを関与させずにもすむ。この方法は、短編小説、エッセイ、小説の章のリライトにも応用できる。小説を書き上げたばかりの友人は、ある章を書きなおさなければならなくなったとき、こう自分に言い聞かせたという。「そうね、この章にはこうした要素が必要だし、それに食料品店で始まって墓地で終わるようにしなきゃいけない。一時間でなんとかしよう」。彼女はこうして制限時間付きリライトで書いた出来のいい部分を原文に加えていき、どの章もずっと豊かで洗練されたものになっていった。

ノートを何ページ読んでも、二、三行しかいい文章が見つからない場合だってある。がっかりしないこと。フットボールのチームが二、三試合のために何時間も練習するのを思い出してほしい。上手に書けている行には下線を引き、それを題材リストにつけ加えよう。そうして、またあらためて机に向かったときに、リストの中の一行を取り出して書きつづければいい。下線を引くことはまた、その行に対してあなたを意識的にさせる。えてして人は、同じ表現を知らず知らずのうちに書いたりするものだ。こうして、バラバラに見える部分がとつぜんひとつにまとまったとき、あなたはきっとびっくりしてしまうにちがいない。

死にたくない

鈴木俊隆老師はサンフランシスコ禅瞑想センターを設立し、『初心・禅心』を書いた人だ。偉大な禅師だと私は聞いていた。一九七一年、彼は癌で亡くなった。死を前にして大いなる空《くう》に喰らいつこうとしている禅匠に、私たちはなにかとても感動的な言葉を期待するものだ。「ハイホー、シルヴァー!」とか「覚醒を心せよ」とか「生命は永遠である」とか。鈴木老師が死ぬ直前、古くからの友人だった片桐老師が見舞いに行った。片桐老師がベッドの横に立つと、鈴木老師は見上げてこう言った。「死にたくない」。単純明快。彼は自分のありのままに、そのとき感じたことをそのまま口にしたのだ。片桐老師はお辞儀した。「どうもご苦労さまでした」。

片桐老師はこう語ったことがある。宗教的《スピリチュアル》な人間は、優れた芸術作品の前に立つと心に平安を覚える。芸術家は、傑作を見ると自分も傑作をものにしようと意欲を掻《か》き立てられる。芸術家は生命力を発散し、宗教的人間は安らぎを発散する。しかし、と片桐老師は言う、宗教的人間の心の平安の底には、途方もない活力と自由闊達《かったつ》さがある。それは、この瞬間、いまここにおける行為だ。また芸術家は、生命力を表現しているときでも、その背後で静かな安らぎに触れていなければならない。さもなければ、その芸術家は燃えつきてしまうだろう。残念なことに、そんな芸術家の例はたくさんある。アルコール中毒や自殺、精神病などによって燃えつきてしまった人たちのことだ。

したがって、懸命に書いているとき、私たちが表現しようとしている燃えさかる生命は、すべて心の底の平安からやってくるものであるべきだ。そうなれば、物語の途中で興奮して跳ねまわり、二度と机に戻って作品を完成できないということはなくなるだろう。死に臨んで、「死にたくない」と感じたままを言葉にするこの単純明快さを、私たちは心のどこかで知っておくべきだ。怒りや自己非難や自己憐憫からではなく、〝ありのままの自分〟という真実を受け入れることから出てくる言葉。書く行為の中でそのレベルに達することができれば、自分を作家として前進させてくれるなにかに触れることができるはずだ。そうなれば、ほんとうはチベットの高原にいたいのにニュージャージー州ニューアークの自宅の机に向かっているときでも、あるいは死が背後で遠吠えし、生が正面で唸っていても、私たちは書きはじめることができる。言いたいことをひたすら書きはじめることができるのだ。

エピローグ

日曜の夜十一時に私はタイプを打ち終えた。私は自分に言った。「ねえナット、本が完成したみたいよ」。私は立ち上がった。とても腹が立っていた。なんだか利用されたような感じだった（のちに友達のミリアムは、「詩神ミューズに利用されたのね」と言った）。とつぜん、私にはこれがなんの本だかわからなくなった。この本は私の人生とはなんの関係もない。この本で恋人が見つかるわけでもないし、朝、歯を磨いてもらえるわけでもない。私はお風呂に入り、バスタブから這い上がり、服を着て、夜中だというのにひとりで、サンタ・フェの中心地にある〝ローン・ウルフ・カフェ〟まで歩いた。白ワイン一杯とタフィー・アイスクリームを二つ注文した。店の中の人ひとりひとりに目をやり、誰にも話しかけることなく、ただニコニコしていた。「本が完成したの。私もまた人間に戻れるかもしれない」。帰りも歩いた。ほっとした幸せな気分だった。翌朝、私は声をあげて泣いた。でも昼までには、素晴らしい気分になっていた。

月曜日、創作教室の生徒たちにこう言った。「あの本を書くのに一年半かかったの。全章のうちの少なくとも半分は、最初に書いたままで完全だった。いちばん苦労したのは、書くこと自体じゃなくて、成功するか失敗するかという恐れを克服すること、最終的には、純粋な行為だけに向けて燃焼しきることだったわ」。最後の一カ月半、私は毎日必ず書くようにした。一章を完成させては、次の章に移った。単純なことだ。ハーゲンダッツのアイスクリームが食べたい、友達に会いたい、もの思いにふけっていたいと悲鳴をあげる自分には、まったく耳を貸さなかった。

全身全霊でなにかをしているとき、人は孤独な旅人だ。友達がどんなに喜んでくれようと、応援してくれようと、それが自分の感情の強さに匹敵するとは思えない。自分が経てきたことを完全に理解してもらえるとも思えない。けっして負け惜しみを言っているのではない。本を書くとき、人は孤独なのだ。そのことを受け入れたうえで愛情や支援を受けるのはいいが、それに身勝手な期待をかけてはいけない。

次のことはぜひ知っておいてほしい。みんな、成功とは幸せな出来事だと思い込んでいる。しかし成功は、寂しく、孤立無援で、がっかりするような体験にもなりうるのだ。成功とはあらゆるものである、と考えたほうがいい。なにを感じようと、それをそのまま受け入れる余裕を持とう。幅広い感情を持つのはよくないなどと思わないでほしい。あるとき片桐老師が私にこう言った。「あんたの本が出版されるのは大いにけっこうだが、あんまり気にしないことだ。さもないと自分を見失ってしまうぞ。ただ書きつづけていればいい」。二日前、私は父に言った。「私、エンパイア・ステート・ビルから飛び降りるわ」。父はこう言った。「そんなに高いビルでなきゃいけないのかね？」　いま、私は自分にこう言い聞かせている。「ナタリー、この本は終わったのよ。次のを書かなくちゃね」。

原注

1. William Carlos Williams, *The Collected Earlier Poems* (New York: New Directions, 1938).
2. Ernest Hemingway, *A Moveable Feast* (New York : Charles Scribner's Sons, 1964).
3. Cesar Vallejo, "Black Stone Lying on a White Stone," in *Neruda and Vallejo*, ed. Robert Bly (Boston: Beacon Press, 1971).
4. Williams, *The Collected Earlier Poems.*
5. Marisha Chamberlain, ed., *Shout, Applaud* (St. Paul, Minn. : COMPAS, 1976).
6. Russell Edson, *With Sincerest Regrets* (Providence, R.I. : Burning Deck, 1980).
7. Williams, "Daisy," in *The Collected Earlier Poems.*
8. William Blake, "The Auguries of Innocence," in *The Norton Anthology of Poetry* (New York: W.W. Norton, 1970).
9. Interview with Allen Ginsberg and Robert Duncan, Allen Verbatim, ed. Gordon Ball (New York: McGraw-Hill, 1974).
10. Carolyn Forche, "Dawn on the Harpeth." 2行とも著者（ゴールドバーグ）に贈られた未刊の詩より引用 .
11. Richard Hugo, "Time to Remember Sangster," in *What Thou Lovest Well, Remains American* (New York: W.W. Norton, 1975).
12. Richard Hugo, "Why I think of Dumar Sadly," in *What Thou Lovest Well, Remains American.*
13. Kate Green, "Journal: July 16, 1981," in *If the World Is Running Out* (Duluth, Minnesota : Holy Cow! Press, 1983).
14. Anne Sexton, "Angel of Beach Houses and Picnics," in *The Book of Folly* (Boston: Houghton Mifflin, 1972).
15. Poems by Shiki and Issa from Haiku: *Eastern Culture*, vol. 1, trans. R. H. Blyth (Tokyo: Hokuseido Press, 1981). Poems by Basho and Buson from *Haiku : Spring*, vol. 2, trans. R. H. Blyth (Tokyo: Hokuseido Press, 1981).

著者インタビュー

Q 書くためのインスピレーションは特定の場所と関係がありますか?

A 土地や環境はとてもたいせつだと思う。たとえば小説では、舞台になっている場所が第三の登場人物であることが多く、よい小説ほどそのことが感じられる。でもおしゃれな場所にいないと書けないとは思わないし、理想郷にいる必要もない。いまいる場所にちゃんといればいい。つまりは、シンシナチにいるあなたが、シンシナチを心ゆくまで味わえるかどうかということだ。通りのようすや天気、植生、仕事が終わるころの街の灯《ひ》がどんなふうかを熟知する。そのことが重要だ。

私はといえば、タオスを熱愛しており、この町は私の恋人同然だった。だからそこにときどきしかいられないのが苦痛だった。移ったばかりのころ、私はそこで食べていけなかったのだ。それでもタオスは私の情熱の対象でありつづけた。いまのようにタオスに二十四時間いられるようになったとき、私は禅修行の師であった片桐大忍老師の言葉を思い出した。

「天国もいつかはいやになる」

老師の言葉は正しかった。特定の場所になじむと、そこは単なる場所になる。こよなく愛せるかもしれないが、長所と短所の両面がわかる。ただ、自分の居場所がきちんと定まっていると、そこから自由に出かけて他の場所を楽しみ、愛せるようになる。タオスに来る前の私はそうではなかった。タオスにいたかったから、それ以外の場所にいることはいつも苦痛だった。

「いま自分はここにいるけど、ほんとうはあそこにいるべき」と言ってはならない。私にはそれは拷問だった。ものを書くときには、どこにいようといまいるこの場所を起点にすべきだ。いるべき場所にいまいられないことを、書かないことの言い訳にしてはいけない。完全な場所など存在しないのだから、ペンを手にとり、自分のいまいるこの土地について細かく記録しよう。書いたものを見れば、いまいるこの場所こそが実は完全であることがわかる。この土地とは地球のこと。地球での刻一刻があなたの人生なのだ。

Q 「〜だから書けない」という言い訳で、いちばんよく聞くものはなんですか?

A これまで、書けないことの言い訳は何千と聞かされてきた。「自分を出すのがこわい」

「自分の真の欲望に従うのがこわい」「いまはできないけれど、いつかはと夢見ている」「家族がいるからいまはできない」「生活しないといけないから」「ものになるほど上手でないのを知るのがこわい」「父のことを書けば、殺されかねない」。

私はこのレベルの言い訳は気にもとめない。どれも、ほしいものがあるのに一歩を踏み出してそれをつかまえようとしないことの弁解にすぎないからだ。燃えようとしない人がけっこういるのを私は長年見てきた。自分の情熱を生かし、それを感じ続けることをしない。そういう人たちの言い訳に私は耳を貸さない。私の小言が退屈なのと同じく、人の言い訳はしばらく聞いているとうんざりしてくる。言い訳は「せわしない心《モンキーマインド》」のしわざだから、中身はどうでもいい。

私の言葉に、あなたはこう反論するかもしれない。「でも事実でしょう？　六人も子供がいて食べさせるためには、仕事しなくちゃ」。そのとおり。でもそういう人たちも、書くことに燃えるつもりなら、そのための時間を作らなければならない。一週間に三十分でもいい。五十九歳で死ぬかも知れないのだから、書くことを六十歳になるまで延期してはいけない。ある意味でこれは、人生すべての面倒をみるということだ。なにかをあとまわしにしてはいけない。あなたはこんどはこう言うかもしれない。

「でもナタリー、あなたには子供がいないじゃない。あれもないし、これもないし……」。

そういうことではない。ある勉強会でこんなことを言った女性がいた。「あー、なんて寂しいのかしら」。おなじみの言葉だ。「夫とたくさんの子供がいていつも忙しくしているのに、私は寂しいの」。私はこれに応えて「それは変ね。私には夫も子供もいないけど、やっぱり寂しいわ」。

寂しいのは人間の条件なのだ。私たちは書きたくなかったり、書くのを恐れたりしているときの弁解や理由に、好き勝手なことを言う。でも詰まるところ、ほんとうに書きたかったら、無駄口をたたかずペンを握って書くに尽きる。まっとうな言い訳というものがないのは残念だが、それが人生だ。一歩前に進もう。十分でもいい。なにか書ければ、どんな言い訳をするより気持ちがいいはずだ。

数年前、私と何度も勉強を続けてきたグループがあった。私はその生徒たちのあいだを歩きまわって、「さて、いまみんなに必要なことはなにかしら?」と聞いた。すると彼らは「うーん、なんていうか……。このところ書いてないのは妻が〜で、生活が〜だから……」。

私は彼らを見て言った。「どうしたらいいか、わかっているわよね。ペンを握って書くの」。彼らはパッと明るい表情になって言った。「あっ、そうだった」。それで私が「ちょっと待ってよ。あなたたちはシカゴやボストン、ケンタッキーやロサンゼルスからわざわざ出てきて、私のセミナーを三回も取っている。そんなことはわかっているはずじゃない」。

するとと彼らは「そうだけれど、もう一度聞かないと気がすまなくて」と言うので、私は仰天してしまった。「あなたたち、それだけのためにわざわざ来たわけ?」

彼らはそうだと言う。これほど単純明白なことが何度も見過ごされ、再発見を繰り返さないといけないとは!

私はある学生のことを思い出していた。私がいつもの台詞をまた言うと、彼は喜びで顔を紅潮させていた。なぜなら彼は、こんど限りはほんとうにまずい、重大な問題だと確信していることがあり、それが動かないから書けないと思っていたからだ。彼をほっとさせたのは、おなじみ単刀直入の台詞だった。

「黙って書きなさい」。私たちの「せわしない心《モンキーマインド》」は強力でかなり独創的だ。書けないことの新しい理由を次から次へと思いつく。それを真に受けてはだめだ。

Q 「せわしない心《モンキーマインド》」とはなんでしょうか?

A これは「猿のように騒がしくせわしない心」を意味する仏教用語で、「編集者《エディター》」や「批評家《クリエイター》」と置き換えることもできる。心がせわしないと、私たちは本心を見失ってしまう。私たちの文化はそもそも「せわしなさ」に根づいており、そのことが私たちを不幸にしている。

私たちはたしかに忙しくしているのが好きだが、「せわしない心」と私たちの本心は別のものであることを理解しなくてはいけない。本心はなにを求めているのだろう？　本心が求めていることに、少なくとも五〇パーセントを与えてやらないと、私たちの毎日は忙しいだけに終わってしまう。これをやらなくちゃ、あそこに行かなくちゃ、あれを作らなくちゃ……。そんな日常は魅惑的だが、そうこうしているうちに数週間がたち、私たちは自分が誰だかわからなくなってしまう。

Q 書く才能についてはどうでしょう？

A 才能は地下水に似ている。地下水を汲み出すのに地面をこつこつ掘らないといけないように、才能も地道な努力なしには引き出せない。私のところには、初めからきれいな文章を書く生徒がたくさん来る。信じられないかもしれないが、彼らがペンをとると、周りはそのうまさに開いた口がふさがらなくなる。書くのが簡単すぎるから、彼らは往々《おうおう》にして上手に書けたことが信じられず、そのこと自体にさほどの意味を見出せないこともある。そんなとき私の目は教室の端にすわっている別の生徒に向かう。いつも書くのに苦戦している、ちょっと堅物で退屈な感じの人。三年たってもまだ同じ教室に来る。相当の時間がたってから、この生徒の小さな〝炭〟に火がともり始めることがある。そんなときは素晴らしいと感じずにいられない。

私は自分に才能があると思ったことがないし、人から才能があると言われたこともなかった。手相や星図を見てもらうと、会計士になれとよく言われたものだ。だから私は努力と決意で、手のひらに新しい筋をつけたのだ。私は努力するという人間の性質に信頼を置いてきたのかもしれない。

努力とは石臼《いしうす》を挽くような肉体労働にとどまらず、自らを覚醒させる行為も意味する。その能力は私たちみんなにそなわっている。ただ覚醒は才能とは無関係だ。それは書き手として周りのものごとに気づき、注意を十分向けられるかどうかであって、具体的には木や植物の名前を知り、日の光が車の金属部にどのように当たっているかを意識することだ。これは練習によってものにすることができる。もちろん、あなたに才能があればそれに越したことはない。その才能を大いに利用するといい。しかしそれだけでは行き詰まるので、もっと先に進むためには努力が欠かせない。

Q 禅修行は書くことにどんな影響を与えるのでしょうか？

A 書くことは私の禅修行、心の覚醒、瞑想《メディテーション》といつもつながっていた。私は芸術のための芸術に興味を持ったことがない。なぜなら、そうすることで芸を磨くことが苦痛になり、自我を凝り固めた不幸な芸術家をたくさん見てきたからだ。
一方で、後ろ盾がなにもなければ、つまり〝無〟の境地でいれば、自我はそう簡単には固まらない。私にとって書くことはいつもそんな〝無〟とつながっていた。新しい言葉が生まれるのは、その言葉がなかったからだ。ここに白紙が一枚。そこに字がびっしり詰まっていたら、書き込む余地はない。だから私は瞑想《メディテーション》を伴わない芸術や創造性には興味がない。私はいつも禅に支えられてきた。

Q 書くことで人の役に立つとはどのようなことでしょうか?

A 私は書くことを、自己表現というよりは人のためと考えている。そうは言っても読者のご機嫌取りはしたくない。そのちがいが微妙だ。私は真実を書けるようになりたいが、自分のためだけにそうするのはやめている。詩人だったころにはたくさんの物語を書いた。そこにはたしかに自己表現があり、なにを言っても許されると感じることが必要だった。詩をつくるときには四文字言葉もよく使った。私はなんにでもたてついて、「見て、私は好き放題にできるの」という態度でいた。

しかし、いまの私の興味は人への伝達《コミュニケーション》に移っている。白い紙に書かれた黒い文字、すなわち言葉でどうやって全国の人たちに意思疎通を行い、自分にはっきり見えているものをきちんと伝えられるかに関心がある。だから自己表現にはもうこだわらない。もちろん駆け出しのころは、それが自己主張の仕方を身につけるよい方法になるかもしれないが。ものを書くときには、私は全身全霊を込め、自我にはじゃまにならないように道をあけてもらう。自己表現ではなく、書くという行為自体が文章を綴るのだ。ナタリー・ゴールドバーグをすっきり手放すことで、私は自分を超えていく。自己表現だけが目当てなら、ただすわって日記帳を広げて綴ればいい。「今日は幸せ。恋をしたから。彼のこと愛してるわ。彼ってすごく可愛いの」。他人が読んだら退屈してしまう。自分以外の人とのコミュニケーションをめざすなら、直情をやり過ごし、対象にもっと踏み込んで細部を尊重し、そのありのままに触れなければならない。

Q 瞑想《メディテーション》と文章修行のちがいはどこにあるのでしょうか？

A 坐禅をするとき、私は思考を手放し、その瞬間瞬間の自分の息に心をつなぎとめることにしている。もちろんそれは簡単ではないが、坐禅をたくさんすると、思考がねばっこく、何度も舞い戻ってくることに気づく。一方、文章修行では、そんな思考をとらえて文字にする。ひとつ書き終わったら次の思考に移るという具合に進んでいくのだ。こうして頭をペンにつなぎとめると、思考はすばやい流れになり、その中に自分がすわる図になる。流れる思考はそれほどべたつかない。静かな場所に落ち着くためには、坐禅より書く練習のほうがある意味で適切といえる。考えをひとつひとつ見ては手放していけるからだ。逆に坐禅をしているときは吐き出す場がないため、思考の消化に時間がかかる。心の出入り口に思考がたむろして堂々巡りするからだ。その点でちがいはあるが、坐禅は書くことと平行したプロセスであり、書くことは私にとって最も深遠な禅修行だ。

坐ることと書くことを通じて私が学んだいちばんたいせつなことは、考えは現実ではなく、実体を持たないこと、人は思考に注意を払いすぎるが、それを手放せれば大きな自由が得られること。もちろんそれは口で言うほど簡単ではない。思考は感情とつながっているため、ある時点の記憶をもとに、特定のエピソードについて思い巡らすと、三分もしないうちに気がへんになってしまうこともある。思考の根をとらえることができるなら、つまりまだ浮かんだばかりの、単純なレベルの考えをつかまえることができればかなり役に立つ。たとえば私が恋人と口論して、正しいのは絶対自分だと思っているとしよう。そんなとき、恵みの声がささやく。「ナタリー、それはたんなる意見でしょ。大きな意味はないよ。手放そう」。うわぁ！　どれだけほっとできることか！

なんであろうと、いま、目の前で起こっていることが人生だ。だからその面倒をしっかりみてほしい。なにを書くべきか考えながら禅堂で坐り、そこで思いついたことを書きとめようとノートに向かって走るというようなことを私はしない。それぞれの場所が独自の経験だからだ。たとえば音楽は禅堂での経験からは隔たっているが、実際にクラリネットを吹くことには密着している。

その瞬間瞬間を生きるのだ。いま絵を描いているなら、絵を描くことが人生。ものを書いているときはそれ自体が人生だ。形は違っていても、どれもが自分自身や世界を知るための手段だ。呼吸に注意しながら体全体でそこにいる自分は、禅の媒体であり、言葉が書くことの媒体だ。生きいきした言葉は電気を帯び、生きることからずれたり隔たったりしない。私は歯磨きをしながら空想にふけることもあるが、ただそこで歯磨きしているだけのときもある。

Q 小説を書くということについて教えてください

A 小説は心の動きのようにはいかない。この本は心の動くままに自然に書くことができた。でも小説〝*Banana Rose*〟を書いたときには、第三章に茶色の帽子を登場させ、第三十三章にその意味を書くといった仕掛けが必要だった。ただふだんの生活では、茶色の帽子がつねに意味を持つとは限らない。車は意味なく故障する。私たちはいろいろな思いを持つが、それらはさほどの意味もなく、来ては去る。しかし小説では、作家は物語を伝え、そこでなにかを意味しないといけない。それで小説には、骨組みと、ある程度の起承転結が必要になる。読者の心は意味を求めているからだ。だから私は、小説の骨組みを学ばなければいけなかった。それは、私がこれまでに学んできた書き方の基本、「心に素直に従うこと」とはちがい、かなり難しかった。

私はきっと小説家に生まれついていないのだろう。意味を見出そうとしないからだ。「私も別に意味を見出そうとはしていない」と言う小説家もいるかもしれない。でも小説ではすべてのことが最後にまとまらないといけない。読み終えた読者が「なるほど」と感じてくれないといけない。やり方をまちがえると「なるほど」と感じてもらえないし、著者が正しい、完全であると思っているものに物語が収束することもない。

小説を書きはじめると、私はその小説にとことん打ち込み、書き上げるためにはどんな努力も惜しまなかった。ただ自分にそこまでの努力ができることを、当時はまだ知らなかった。私はタオスのハーウッド図書館で腰を据え、何回も小説を書きなおした。夏が訪れ、通り過ぎるのを、私は図書館の高窓を通して見た。やがて秋が来た。私は小学四年生の気分だった。他のみんなが夏休みなのに、ひとり残されて作文を仕上げなければならない。

ここまで自分の決意が固いとは思わなかった。この体験は一生忘れないし、畏《おそ》れ多いとすら思っている。いちばんといえる小説はできなくても、いちばんの努力ができた。その努力こそが、私に自信とは呼べないまでも、気骨を与えてくれた。当時のナタリーにできた、最大限のベストを尽くしたのだ。私はそのことを誇りに思うし、主人公のネルをいつまでも愛しつづけるだろう。

そうだ、私の才能はこれなのかもしれない。不屈の決意。それも書くという一分野に限ったもので、他では通用しない。一度だけ近所を走ってみたことがあったが、その後も続けたいとは思わず、それっきりになった。スキーも同じ。転んでしまったあと、私は「もういや」と脱いでしまった。でも書くことに限っては、あの揺らぎない決意がいつもある。

Qなぜ回顧録を書くのですか?

A好きだから。回顧録では記憶の働きがわかる。頭の体操という意味で、書く練習と同じだ。記憶は古いものからA、B、Cと順によみがえってくるわけではない。たとえば私は○○年に生まれ、公立の学校に行き、これをやり、あれをやった、というふうにはならない。むしろ記憶は閃光《せんこう》、フォークの先端が光るような一瞬のきらめきに似ている。とつぜん、コニー・アイランドで二十年前に食べたホットドッグの記憶がよみがえるというように、記憶は断片的だからいい。小説より回顧録のほうが、そんな心の動きに沿って書きやすい骨組みを持っている。

私は物語、とりわけ誰もの故郷といえる家族の物語が好きだ。私はあるときニューヨークで素敵な女性禅師に会った。彼女は頭を丸めた大柄で愉快な人だった。話しているうちに、彼女のお母さんが美人コンテストに優勝し、そのおかげで継父七人を持つ破目になったことがわかった。私は彼女の話に夢中になった。この厳格な、禅をきわめた人物にそんな背景があるなどと誰に想像がつくだろう。そんな矛盾《むじゅん》したイメージの重なりが面白くて、私は質問をやめることができなかった。

書く練習では時間をかけて過去を掘り下げることがたいせつだ。そのとき避けて通るものがあってはならない。自分のなにかを避けているかぎり、他のことを書いても、同じ回避をすることになるからだ。それは文章を汚染する。自分の生き方に誇りを持てるようにならなければならない。自分の心と人生を全面的に受け入れるのだ。

Q どうやって書く練習を始めたのですか?

A 自分の心との関係を見つけたのがきっかけだ。私はヒッピーだったころ、タオスで何度も坐禅をした。一九七六年にはコロラドに行き、ボールダーのナロパ・インスティテュートで詩人アレン・ギンズバーグに六週間師事した。彼から思考と文章を吟味するよう教わり、それを続けた。彼が預言者で、私はそれを記録する働き蜂のように思えた。彼は「心が形よくまとまっているときには、形よくまとまった文章が書ける」と私に言った。ナロパに行く前に、ひとり山にこもって修行をしたとき、私は山の家でギンズバーグの書いた記事を見つけた。その中で彼は「心を磨く」ということについて語っていた。私はすぐにそのすべてを理解することはできなかったが、興味を喚起《かんき》され、いつかはすべてわかるようになると自分に誓った。私が大学や大学院で文学を勉強していたとき、心について語る人など誰もいなかった。

私は書くことを始め、時間を決めて手を動かしつづけた。白いページに大きく広がる可能性を求めて、心は前へ後ろへ、上へ下へと旅していた。私には到達目標も、作品の方向づけもなく、自分の考え方をただ眺めているだけだった。そうしているうちに私は、自分自身とある種親密な関係を作ることができた。私はひとりそこにいて、わけのわからないことをしていたが、やむにやまれぬ衝動でそれに深入りしていった。それでいろいろなことに気づいた。心がどれほど執拗《しつよう》に同じことを繰り返すか、どうやって雑念を払いのけて深いところまで行けるか、すぐ目の前の詳細を書くことで自分の足を地につけるにはどうすればいいか。

当時は「モンキーマインド《せわしない心》」とは呼んでいなかったが、それにもすでに出会っていた。書くことの助けになるものと、そうでないものがあることもわかっていた。すでに練習で一定のやり方を身につけたため、気が変になる恐れはなかった。なにが来ようが私は制限時間いっぱい手を動かしつづけた。それは瞑想《メディテーション》中にはなにが起ころうと、終わりのベルが鳴るまで決められた姿勢をくずさないのと同じだ。

初めて片桐老師と会ったとき、「書くことを修行にしなさい」と言われたが、その言葉にまったく耳を貸さず、尊大にもこう言った。「まあ先生、そんなのばかげていますよ」。当時は書くことと禅修行が正反対に思え、私は老師の言葉に注意を払わなかったのだ。老師が私をやめさせようとして暗にこう言っているのではないかと疑った。「出ていきなさい、ナタリー。きみは禅堂にふさわしくない」。だから私はあえてこう言った。「いいえ。坐禅は続けます」。

それから何年かたつと、書くことへの私の理解はより洗練され、自分が力強いなにかをつかまえて、荒馬のように乗りこなしているのがわかった。何年も経て最終的には、私はそれを文章修行と呼ぶようになった。私は片桐老師の言葉を理解しはじめた。実際この本を書くことで、そのすべてがひとつにまとまった。偉大なる「なるほど！」が起こったのだ。本が出て二年くらいして、私は老師に会いに行ってたずねた。

「あのとき、なぜ書くことを修行にしろとおっしゃったのですか?」。すると師はなにげなく私を見て言った。「あんたは書くのが好きだろう。だからそう言ったんじゃ」「そんな単純なことなんですか?」「とにかく好きでいることが肝心」。そんな昔にも、師は私の情熱がどこに向いているのかわかっていたのだ。ほんとうは走りたいのに瞑想《メディテーション》すべきだと思ったら、走ることを修行にし、そのすべての段階を掘り下げていこう。でも老師は、すわることも悪くはないとつけ加えた。それで私は、自分の思いが書くことにあることを知りつつ坐禅もした。素直でありつづけ、なんとか〝背中〟を鍛え、気骨を養うためだ。ご存じのように、私の正面はエネルギーだらけだった。後ろに平穏がないと、人は燃えつきてしまう。

Q コントロールを失うのを恐れている人はどうでしょう?

A 生きていくためには、平気でコントロールを失うことも必要。恋に落ちるのはそのよい例だ。自分や愛する人の死はまったくコントロールすることができない。ものを書く練習がいいのは、あの、とてつもなく大きな〝無〟、すなわちコントロール喪失感にどっぷり浸ったあとに、ほっとできる場所に自らを引き上げるための系統的方法だからだ。

　しばらく紙にペンを走らせてから散歩に出る。その後また少しずつ書くことに浸っていくという具合だ。これこそが東洋から西洋への贈り物だ。東洋文化は瞑想《メディテーション》する習慣をもたらしたとき、あたふたせずに心の〝無〟の領域に入る仕組みも授けてくれた。コントロールを失うのがこわかったら、誰かと一緒に書こう。まわりに人がいれば安心できるはずだ。運命共同体の私たちが助けてあげる。心配せずに手を動かしつづけよう。

Q 本にする題材はどのように選べばよいのでしょう？

A 心の奥深くに根づいているものを本にすべきだ。それは学校の作文でいうアイデアやトピックではなく、井戸の底から湧き上がってくるような思いだ。いま、私の体に本を書く準備ができていて、すぐにでも取りかかれる状態だとしよう。そんなとき、その本はかなり前から形になりはじめていたと言える。私が意識せずに生かしてきたのだ。この本を書きたかったことに初めて気づいたとき、それはすでに六カ月間、私の腹の中で〝こやし〟になっていた。私はすぐに始められるのがわかっているし、すわって「始め！」と言えるだろう。

でもそのとき、この本が深い情熱や、こだわりに根ざしていることをたしかめてほしい。本を書くにはかなりの時間がかかるから、最初の十ページを書いて燃えつきるわけにはいかない。書きはじめてすぐやめるという悪い癖をつけてはいけない。本を書きはじめても一向に完成できない人を、私はたくさん知っている。書くべき題材をしばらく温めて、それを芯まで燃やし、書く練習をするのだ。選んだ題材が自分にほんとうにたいせつかどうかを見極めよう。なぜなら、本を書きはじめたあなたは、長いこと潜行することになるからだ。

Q この本を書いていたときのナタリーに、いま言いたいことはなんですか?

A 私に言えることはなにもない。あの子はあの子であり、私の言うことなんか気にもとめないだろうから。いまの私ならたとえばこう言うだろう。「あなたはわかっていない。成功して有名になることは、かなりきついし、苦痛でもあるのよ」。それだけは言えるだろう。実際生徒たちにも同じことを言っている。もちろん、彼らはそんなことは聞きたくない。ほしいものはほしいのだ。

三十六才のナタリーは完全燃焼したかった。いまの私にはどうしてだかわからないが、当時の私は有名になりたかった。そうすれば救われると知らず知らずに思っていたのだ。もちろん実際それで救われることはなかったが、私はそのことをあの子に少しも言えなかった。当時を思い出すと、あの子に対する大きな愛と哀れみが湧いてくる。すごくまじめで、がんばり屋で無垢《むく》。でもある面でいまの私よりずっと賢かったし、挫折もしていなかった。挫折していないほうがはっきり見えるものもあると思う。行く手をはばむものも、恐れもない。もちろん、そんなときの私たちには、今後の成りゆきや結果を予想することができない。すべてがなるようになるのだ。

この本を書くことは私にとってかなり強烈な体験だった。なぜなら私は、自分の思ったこと、見たこと、感じたことを初めて語らなければならなかったからだ。私は誰からの励ましも受けずに、ひとりでこの本を支えてやらないといけなかった。これは私の処女作だったから、それが書けても書けなくても、他の人にはどうでもよかった。ただ、本を一冊書いて成功できれば、少しは自信が増す。私をばかじゃないかと思っている人も、私の言うことを一瞬だけでも聞いてくれるはずだ。

私は人生で何度もこきおろされたし、子供時代も応援してもらえなかったから、自分ひとりでこの本を支えてやらなければならなかった。それはひどく恐ろしいことだった。私は自分の見たままを言葉にしなければならなかったし、人からおかしいと思われるかもしれなかった。しかし社会には突き破らないといけない〝皮〟や〝膜〟がある。それを努力で突き破るのだ。私は自分自身の味方になり、突破口を見つけることで、やっと話を聞いてもらうことができた。

Q それほどの自信をどうやって養ったのですか?

A 私は自分の心に対して大きな自信と信頼の気持ちを持っている。それは私が聡明だという意味ではない。ほとんどの人が私より賢く才能があっても、私は自分を蔑《さげす》まない。「自分の言葉を信じる」というのは、自分の言葉を重視し、それに耳を傾けることだ。私は自分の心の一貫性を信じている。それともうひとつ私に自信を与えてくれるのが、「今日三時間書く」と自分に言ったらそのとおり三時間書けることだ。大したことがないと思えるこのことに、どうして大きな意味があるのだろうか。それは私が書くこと以外ではまったく自信が持てないことと関係がある。たとえばチョコレートをもう食べないと言っても、すぐ食べてしまうのだ。でも書くことに限れば自信がある。やると自分に言ったことは必ずやる。それだけのことだ。書くことだけは、私がこの人生で絶対に裏切らないことだ。自信が生まれたのは、書く練習に自分の一〇〇パーセントをかけてきたからだ。

一方、禅修行はというと、それとは少し違うようだ。書く練習ほどたくましさがなく、決意や力の入り方も小さい。私の禅修行は静かで麺のようだと言える。でもちゃんと続いている。ブルドッグや大砲の弾のように突進する必要はない。麺のようにぬらりと入ればいい。気になる方法を探そう。〝麺の道〟を行くことで、賢い書き手にもなれるから。

Q 生徒にも同じ自信を持たせるにはどうすればよいでしょう？

A 私は生徒のチアリーダーになる。「行け、行け、行け！　できるとも！」。教師としてチアリーダーの役目を担《にな》うと、生徒たちの素晴らしさがわかる。彼らの「〜だからできない」という言い訳を聞かず、無視するのだ。かわりに彼らの長所すべてに目を向ける。たんに傑作を書くことにとどまらず、彼らが一生健《すこ》やかに書きつづけられるように私は気を配っている。

Q 「放り出されてはいけない」とはどういう意味ですか？

A 「モンキーマインド《せわしない心》」に放り出されてはいけない。たとえば「必ずライターになるぞ！」と思ったとき、その決意には「でも、書くことじゃ食べていけないかも」とか「そう。それなら書くのはあきらめるか」という小さな声が決まってついてくる。「放り出される」とはそれに振りまわされることだ。この小さな声に始終悩まされても、やると決めたことはやろう。放り出されてはいけない。その防止策に、自分の心を理解することがある。異議申し立ての声があなたの決意を揺るがしたり理詰めで翻《ひるがえ》させようとしても、それを真に受けないということだ。

　この本が完成間近になったとき、私は成功と失敗のどちらをも恐れていた。それで六カ月も本をほったらかして、サンタ・フェのキャニオン通りにあるレストランでパンを焼いていたのだ。ある日、休み時間に水路沿いを散歩していて、私はとつぜん泣き崩れた。「ナタリー、片桐老師のためにやらないとだめよ。自分のことは忘れて」。それが私をまた書くことに駆り立てた。心の中で私は老師にしがみついて、自分に言い聞かせていた。「先生のためにやるの」。私にも人並みの不安があるが、ほんとうにしたいことをしているときには、私事に気をとめないようにしている。「ナタリー、あなたはほんとうにこれがしたいの？　したくないの？」と自分に聞いたりしない。そんなことをすれば、成功や失敗への恐れで先に進めなくなるからだ。

　誰にも経験があるように、私も自分のことを考えだすと身動きがとれなくなる。最初に自信のなさを感じ、次に肥大した自己イメージに酔うという具合に、両極端のあいだを揺れ動いてしまうのだ。自分のことを忘れて初めて、私はしたいことができるようになる。自分自身や誰かに放り出されることなく、大きな心を前進させよう。

　この本を書いていたとき、私は片桐老師に対して大きな愛を感じていた。「愛」と呼んだが、それは私がこれまでに持ったすべての感情を超えていた。私はそれを読者と分かち合わずにはいられなかったのかもしれない。その大きな愛は善や悪よりずっと大きなものだった。老師は真のナタリーを私から引き出してくれた。だからこそ、大きくなったナタリーは大きな老師のためにこの仕事を成し遂げたかった。
私がいま理解しているのは、大きなナタリーと大きな老師はいつも表裏一体だったということだ。そんなふうに思えるというのでなく、それは真実だったのだ。私は老師の足元にも及ばない、老師とは違う、というのは単なる思い込みだった。それから何年もあと、老師が亡くなってかなりの時間がたっても、私はもだえ苦しんでいた。人生の偉大なる師を失ったのだから。彼は死んでしまったのだから。でも二人はこれまでずっと離れたことがなく、私が彼で、彼が私であると理解したとき、私には大きな自由が得られた。その大きな愛のおかげで、私は放り出されずにすんだ。この本を書き上げたとき、私は喜んで打席入りできる気がした。自分にこだわることをやめ、深遠なる誓いを立てるときが来た。物書きとして生き、文章修行を続けることで、私は老師が成し得たことを自分なりに成就《じょうじゅ》できると確信できた。

タミ・サイモン（サウンド・トゥルー社）による著者インタビューの一部を許可を得て掲載した。

訳者あとがき――左手にスマホ、右手にナタリー・ゴールドバーグ

この本の初版が日本で出版された一九九五年、私はものを書くことと写真を撮ることを再び学ぶために、アメリカで大学に入り直していた。

ある日、写真の授業でこんな課題が出た。「地面に直径二メートルの円を描き、カメラを持って入りなさい。その中でフィルム二本（七十二コマ）全部撮り終えること」。冬が近い鉛色の空の下、タバコ会社の倉庫を改良した校舎の周りは殺伐としている。濡れ落ち葉がはりつき、紙くずでちらかった道。その向こうには無機質な倉庫が並ぶ。

撮りたいものがなくてぼんやりしていると、先生が来て言った。「むずかしいこと考えずに、何でもいいからピントを合わせてシャッターを切るんだ。そうすれば七十二コマなんて楽勝！」　そう言われてもいつもの癖で、構図やら絞りやらをぐずぐず考えてしまう。十枚ほど撮るとネタが尽きた。退屈。寒さも身にしみてきて、家に帰りたくなった。そこで早く終えることを目標に作戦変更、ワンパターンの肉体作業に徹することにした。

①何でもいいから被写体を決める、②カメラを向ける、③焦点を合わせる、④シャッターを切る。①②③④、①②③④と間髪入れずにつづけていくうちに、リズムが出てスピードも増した。体も温まってなんだか楽しくなった。最後のコマを撮り終えたときには、「あれ、もう終わり?」ちょっとがっかりさえした。そして「これ、何かに似てない?」と思い出したのが、そのとき翻訳中だったこの本の作文練習、「制限時間いっぱい手を動かし続ける」というやつだった。検閲にうるさい〝モンキーマインド《せわしない心》〟から自由になり、勢いで何かをやりぬけてみると、期せずして良いものが生まれる。駄写真の山にまじって、隣の円でカメラを抱える黒人学生のしわくちゃな手が表情豊かに撮れていた。「エゴを排して体の動きに身を任せ、鼻先にある対象に向かい、特異な状況に置かれた自分だけのディテールを生かす」。ナタリー・ゴールドバーグの書くことへのこの姿勢は、すべての創作活動にそのまま生きると思った。

　そんな普遍性や、単なるハウツー文章読本に終わらない深みと多面的魅力が、この本の原書である〝*Writing Down the Bones*〟をロングセラーにしているのだろう。ネット検索をすれば、二〇一九年で発刊三十三年を迎えるこの本が、アメリカの大学の「国語」の授業でいまでも使われていることがわかる。文章修行の本が毎年あとを絶たず、本屋の専用コーナーをにぎわす中、これは快挙だ。復刊版の翻訳にあたって久しぶりに通読し、この本の色あせない魅力を再確認することができた。

たとえば……。この本は書くための「教科書」ではあるが、効果的なあら筋の書き方や話の展開法、登場人物の性格作り、会話の組み立て方といった技法中心の本ではない。その手の実用書は良書も多いが、マニュアル的な冷たさがあるし、一度ノウハウを身につければ再読する必要を感じさせない。一方、この本は何度も読みたくなる。なぜだろう?

それはこの本の主題が物書きの哲学や書くときの心構えにあるせいではないか。本書の内容は、モンキーマインド《せわしない心》を黙らせ、心を空っぽにして自由に開け放ち、直感や体のリズムとスピードに身を任せることを説く。書く対象、あるいはそれをもっと拡大して周りの世界をしっかり見つめ、それに一〇〇パーセント関わり、自分の声で作品にする方法を探る。この態度はすべての創作活動を含む、クリエイティブな生き方の指針になる。だから何度も再確認したくなるのだ。

　また直感や体のリズムを重んじる右脳的アプローチも魅力だ。これは学校教育で主流になっている論理重視の左脳的アプローチとバランスが取れる。アメリカの大学で必修科目になっている文章作法の基礎（English 101/102）は、説得、反論、分析、弁護など、目的に合わせて効果的な文章が書けるようになることを目指す。そのため、論理的な議論の進め方、議論を効果的にする文章構成、信憑性を強化するためのデータ収集・取材方法、レトリックなどが勉強の中心になる。それは実用的ではあるが左脳的で固いし、私の経験ではあまり楽しくなかった。一方、この本の文章練習の多くは楽しくできる。楽しいことは続く。続けられることには必ず上達がある。

読みやすさと親しみやすさも本書の持ち味だ。それぞれのトピックが短くまとまっているため、どこからでも読むことができる。また、書けない苦しみについて語ることで、著者は読者のレベルに下りてきてくれる。「有名作家にもそんなときがあるんだ！」と知って、私たちも書けない自分を許してやれる。もちろんそこでとどまらず「ナタリーはああしたっけ。こんな場合はどうするかな?」と考えて袋小路から抜け出すこともできる。その意味ではこの本はセルフヘルプの役割も担っている。

本書はアメリカのオンライン書店「アマゾン・コム」の読者評で絶賛されているが、そこで時々聞こえる少数の批判は、この本の量産の効能とすすめに集中している。「駄文を量産して何になる?　時間と労力の無駄!」　私はむしろ量産のすすめをありがたく思っている。文章であれ写真であれ、菓子作りであれ、量産していくうちに、これまで抵抗があったり苦戦していたことがあたりまえになるからだ。作業に勢いとスピードが増し、リズムが出てくると、瑣末なことに囚われずに直感を頼りに進んでいける。その結果、意外な突破口が見つかったりする。数をこなすことは大切だ。

日本語版の初版から二〇〇六年の増補版、さらにこの復刊版に至るまでの二十四年間に世の中で一番変わったのはこの点だろう。インターネットの普及、とりわけ簡単便利な電子メールやメッセージ（SMS）が書き言葉によるコミュニケーションを復活させ、量的拡大をもたらした。たった数行のたわいない内容でも、毎日何かしら書く人が日本人の大多数になった。「書くこと」はもはや日常茶飯事、ちっともおっくうではない。言葉の乱れやパソコンやスマホに頼りすぎて漢字が手書きできなくなるなどの問題は別として、日本人の読み書き能力は全体的に高まったはずだ。またメールやメッセージでは思ったことを素早く書くのが普通なので、意識せずにナタリーの言う「第一の思考」や直感に根ざした本音のコミュニケーションができる。

そしてソーシャルメディアとブログ。これらは世界各国のリーダーから各分野の専門家、芸能人、そして我ら一般人までを書き言葉で頻繁につなげてくれる。各社公開データよると二〇一九年六月だけで述べ二千八百万人の日本人がアクティブユーザーとしてFacebookに、三千三百万人がTwitterに常時アクセスしていた。人気ブログサービスではFC2やアメーバなどが月間ビジター数二億人以上と発表している。ソーシャルメディアは友人や家族との絆を強める優れたコミュニケーション・ツール。短い頻繁な書き込みが効果的だ。よりまとまった量と内容で不特定多数の読者に発信するブログでは、もっとフォーマルで客観的、簡潔な書き方が求められるだろう。いずれも人間同士のネットワークを広げ、全国あるいは世界規模の社会運動を生み出す原動力にもなる。数年前の「アラブの春」、最近アメリカで話題になっている、セクハラ撲滅を目指した#MeTooがその一例だ。

「書くことの目的が年とともに自己表現からコミュニケーションに移った」と言う著者の心の変化を私たちもたどろう。メールであれソーシャルメディアの書き込みであれ、伝えたいことがしっかり伝わるように、読み手を思って書こうとするとき、ナタリーならどうするか？　指をキーボードに置く前に、自問してみよう。

文章修行にうってつけの現代の環境を利用しない手はない。左手にスマホ、右手に『書けるひとになる！』。この本を毎日気軽に使おう。適当なページを開き、そこで読んだことをクリエイティブに生きる知恵として、またメールの返信やブログの更新で実践するのだ。そうすれば毎日、一石二鳥の学びが得られる。

そして、上手に書けるようになりたいあなたへの標語はもちろん、

「黙って書きなさい」――ナタリー・ゴールドバーグ

復刻版刊行に当たってご指導いただいた扶桑社の田中陽子氏、初版邦訳の機会を私に与え、単行本翻訳の道を開いてくださった元春秋社編集部の鹿子木大士郎氏、増補版刊行にあたってお世話になった春秋社の平野麻衣子氏に感謝したい。

二〇一九年　八月二十七日

小谷啓子

訳者◉小谷啓子（おだに・けいこ）
上智大学外国学部卒。銀行、翻訳会社を経て一九八八年に独立。主に新聞・雑誌記事の英訳を手がける。訳書に『楽天主義セラピー』（春秋社）ほか、邦訳書各種。また地元オーケストラやバンドの一員としてアコーディオン演奏にも勤しんでいる。米国アリゾナ州在住。

本書は、『魂の文章術　書くことから始めよう』（二〇〇六年・春秋社）を改題、加筆修正し、二〇一九年に扶桑社より刊行された『書けるひとになる！　魂の文章術』を新書化したものです。

ナタリー・ゴールドバーグ Natalie Goldberg

詩人、作家、創作クラス講師。40年以上にわたって禅修行に取り組み、創作クラスでは精神修行としての書くことを教えている。デビュー作である本書は米国で100万部を売り上げ、現在14カ国語に翻訳されている。他の14の著作は小説から、18年に刊行された自叙伝（『Let the Whole Thundering World Come Home』 禅と創作に支えられた自分とパートナーの闘病生活）までと幅広い。米国ニューメキシコ州在住。著者オフィシャルHP：https://nataliegoldberg.com

扶桑社新書 481

魂の文章術

発行日 2023年11月1日 初版第1刷発行

著　　者………ナタリー・ゴールドバーグ
訳　　者………小谷啓子
発 行 者………小池英彦
発 行 所………株式会社 扶桑社
〒105-8070
東京都港区芝浦1-1-1 浜松町ビルディング
電話 03-6368-8870（編集）
03-6368-8891（郵便室）
www.fusosha.co.jp

印刷・製本………株式会社広済堂ネクスト

Printed in Japan ISBN 978-4-594-09640-3